LE DIEU DE JÉSUS

Né en 1930 à Dunkerque, Jacques Duquesne, licencié en droit, est diplômé de l'Institut d'études politiques de Paris.
Co-fondateur et ancien P.-D.G. de l'hebdomadaire *Le Point*, président du conseil de surveillance de *L'Express*, il collabore aussi à plusieurs journaux. Outre de nombreux essais, dont *Jésus*, paru en 1994, il est l'auteur de neuf romans: *La Grande Triche, Une voix la nuit, La Rumeur de la ville, Maria Vandamme* (prix Interallié 1983 et 7 d'Or de la meilleure adaptation télévisée), *Alice Van Meulen, Au début d'un bel été, Catherine Courage, Laura C.* et *Théo et Marie.*

Paru dans Le Livre de Poche :

MARIA VANDAMME
LAURA C.

JACQUES DUQUESNE

Le Dieu de Jésus

DESCLÉE DE BROUWER
BERNARD GRASSET

Raquette bien en main, les joueurs s'épient et s'affrontent. Ils se précipitent au filet, reviennent d'un bond au fond du court pour sauver une situation presque désespérée, multiplient revers et smashes. Les spectateurs de ce match de tennis, enthousiastes, passionnés, tournent la tête à droite, à gauche, à droite, à gauche, comme des milliers de femmes et d'hommes le font chaque jour autour de tous les terrains du monde. Ils sont tellement captivés par le spectacle qu'ils s'écartent lorsqu'une balle malheureuse ou mal contrôlée semble devoir les atteindre.

Pourtant, ils ne voient pas la balle. Car les deux mimes qui jouent les champions sur le court n'en utilisent guère.

C'est une scène bouleversante. Une séquence inoubliable du film de l'Italien Michelangelo Antonioni, *Blow up*, réalisé en 1967.

Il m'est arrivé, la revoyant, d'évoquer l'attitude de l'humanité à l'égard de la divinité. Tous ceux qui croient en un dieu le voient, l'imaginent, avec des yeux différents, un cœur différent, un esprit différent. Sans l'avoir vu. Pas plus que les spectateurs, dans le film, ne voient la balle traverser le terrain. Pourtant, ces spectateurs pourraient – du moins ils en sont persuadés – décrire sa trajectoire. Pourtant, ceux qui croient en une divinité s'enthousiasment, ils sont captivés, ils ont la foi. Des fois. Différentes bien sûr.

Comme toute comparaison, celle-ci a des limites. Voici la première, capitale : il y eut, voici vingt siècles, un homme, Jésus, qui s'est dit Dieu, qui a prononcé, si l'on en croit l'Évangile de Jean (14, 9), une phrase surprenante dont l'écho retentit jusqu'à nos jours. Il a dit : « Qui me voit voit le Père. » C'était Dieu qui se montrait. Dieu avec qui l'on pouvait discuter, qui mangeait et buvait comme vous et moi, Dieu qui avait un corps que l'on pouvait toucher.

Dieu s'est montré en Jésus. Je fais partie de ceux qui le croient.

Je me suis, pourtant, souvent interrogé.

Je m'interrogeais en regardant, à Mexico, de vieilles pénitentes au visage tanné par les malheurs se traîner à genoux devant l'entrée de la basilique Notre-Dame de Guadalupe. Je m'interrogeais en entendant les chants joyeux des fidèles dans une église-hangar d'Afrique noire, en déchiffrant des ex-voto dans d'humbles chapelles de campagne, en lisant des traités de spiritualité, des livres de théologie, en écoutant conférences, sermons et cantiques, en songeant à tous ceux qui avaient crié « Dieu avec nous ! » dans le fracas rouge des batailles, à ceux qui avaient trouvé le bonheur dans la contemplation de Dieu, à ceux qui avaient cherché en lui inspiration et soutien, à ceux que l'on avait sauvés mais aussi humiliés, torturés, tués en son nom, oui, je me suis souvent interrogé : quelle mémoire avons-nous gardée de ce visage entrevu, des paroles de Jésus, de son message ?

Et puis j'ai publié, en octobre 1994, un livre intitulé simplement *Jésus* où je tentais d'exprimer en langage clair ce que l'histoire sait et dit aujourd'hui de celui qui bouleversa, voici quelque deux mille ans, la vie de l'humanité. Ce livre connut un certain succès et suscita diverses polémiques. Il ne s'agit pas, ici, d'y répondre, ni de tenter d'exploiter ce succès de librairie par une sorte de « Jésus II » ou de « Jésus : le retour ». Jésus n'est jamais parti, et nous ne sommes pas au cinéma.

Il s'agit de ceci : les réactions que ce livre a suscitées ont aiguisé mes interrogations. Les dizaines de conférences, de réunions, de débats qu'il a provoqués, les centaines de lettres que j'ai reçues, les recherches qu'elles m'ont incité à poursuivre, m'ont confirmé que le Dieu annoncé par Jésus, montré en Jésus, gardait pour beaucoup un visage voilé.

Cela peut se comprendre : le Dieu de Jésus est radicalement différent de ce que les hommes, jusque-là, pensaient être la divinité, de l'idée que se fait spontanément de la divinité, aujourd'hui encore, la plus grande partie de l'humanité. Dès que Jésus eut cessé de parler directement, Dieu, son père, fut donc souvent revêtu de bien des attributs des divinités anciennes.

Ce n'était pas par volonté délibérée. Mon propos n'est pas d'en rendre responsable quiconque mais de mesurer le poids des mentalités archaïques toujours présentes, celui des modes, des philosophies, des mouvements des opinions populaires, celui enfin des recherches et des difficultés des théologiens et des chefs des Églises. Toutes et tous ont laissé des traces sur le visage du Dieu de Jésus. Des traces qu'il faut tenter d'identifier, l'une après l'autre, pour revenir, autant qu'il est possible et s'il se peut, à l'origine.

Quelques-uns ne manqueront pas de dire que je n'ai aucun titre pour le faire.

Je ne suis pas un clerc, ce qui me disqualifie d'avance aux yeux de ceux qui, comme au temps de Jésus, pensent qu'il faut appartenir à la classe des grands prêtres, ou être docteur de la Loi, pour avoir droit à la parole sur de tels sujets. Je suis seulement un laïc croyant.

Je ne prétends pas apporter une révélation nouvelle : j'en serais bien incapable. Ni Marie, ni quelque autre grand personnage du passé ne me sont apparus pour me confier un secret.

Je n'ai pas rencontré Dieu dans une circonstance exceptionnelle, ni bénéficié de quelque grâce particulière. Je sais que l'on n'épuisera jamais la réalité de Dieu, qu'on ne la connaîtra pas tout à fait. Il est tellement hors de nos normes, de nos conceptions, qu'il faut accepter parfois de dire : eh bien, là, je ne sais pas. Mais nous devons quand même chercher à comprendre, autant qu'il se peut : Dieu ne nous veut pas idiots, ni bornés.

Comment faire pour comprendre ? N'étant, de profession, ni philosophe ni théologien, j'ai étudié afin d'écrire ce livre les travaux des uns et des autres. Ceux des historiens aussi qui précisent les conditions de la naissance du Credo chrétien, qui racontent l'élaboration des dogmes et l'évolution des croyances.

J'essayerai, à partir de ces travaux, et des textes bibliques bien sûr, d'ouvrir quelques pistes, de rappeler quelques traits fondamentaux. Sans utiliser le langage d'avant-hier. Et sans privilégier, on s'en apercevra, parmi ces traits du Dieu de Jésus, ceux qui paraîtraient plus acceptables ou sympathiques pour les femmes et les hommes de ce temps. Il s'agit seulement d'essayer de voir clair.

J.D.

CHAPITRE PREMIER

Le désarroi joyeux des compagnons de Jésus

Ils sont éberlués, abasourdis, stupéfaits, émerveillés, éblouis, transportés de joie, étourdis de bonheur.

Parce qu'ils l'ont vu. Ils l'ont entendu, ils lui ont parlé et il leur a répondu.

Ils n'ont pas rêvé, ils en sont certains. Quelques-uns assurent même qu'ils ont mangé avec lui : du poisson grillé. D'ailleurs, ils ne l'ont pas tous reconnu du premier coup. Il était « autrement ». Comme s'il avait rajeuni, soudain. Ou un peu vieilli, on ne sait pas. Mais différent, à coup sûr. Différent, et pourtant, c'était bien lui.

Cela, ils le jurent. Et ils le diront même sous la torture.

Ce Jésus, ils l'avaient tous, ou presque, abandonné. Ils s'étaient tous, ou presque, jugés capables de le trahir, le fameux soir du dernier repas, quand il leur avait annoncé que l'un d'eux le livrerait : « Ils commencèrent à s'attrister et à lui dire l'un après l'autre : "Est-ce que c'est moi ?" » (Marc 14, 19). Comme s'ils pouvaient tous, ou presque, tenir le rôle de Judas.

Ce Jésus, les témoins disaient qu'il avait été crucifié, puis qu'on avait enterré son cadavre. Eux, ses compagnons, ils l'avaient pleuré, en même temps qu'ils pleuraient sur eux-mêmes, sur leur déshonneur de lâches peut-être, en tout cas sur la fin de la merveilleuse aventure qu'ils avaient espéré mener avec lui.

Et voilà qu'il reparaît. Il vit.

Il est ressuscité. Incroyable mais vrai.

Ceux-là, les Pierre, André, Jacques, Jean, Nathanaël, auraient-ils tout combiné ? Ils auraient inventé une histoire, ainsi que beaucoup vont le penser tout au long des siècles ? Ce n'est pas leur genre. À en croire les Évangiles, qui en rajoutent peut-être un peu sur ce thème jusqu'à en faire un cliché, ils ne sont pas très très malins. Ils ne sont pas non plus manipulés par on ne sait quels pouvoirs obscurs. Rien ne l'atteste. Et puis ils manquent de moyens. Ils avaient bien – ou surtout, lui, Jésus, avait bien – quelques relations parmi les notables de Jérusalem. Mais c'est toujours la même histoire : quand souffle le vent de la défaite, de l'échec, beaucoup de ceux sur lesquels ils auraient cru pouvoir compter les avaient lâchés, s'étaient faits tout petits, avaient disparu. Eux-mêmes, les compagnons du crucifié, ne pourraient demeurer plus longtemps dans cette ville hostile. Vaincus, discrédités, il leur faudrait s'échapper, de nuit peut-être, le dos courbé, la rage et la mort au cœur. Puis regagner la Galilée, reprendre la pêche ou les labours, affronter les regards ironiques ou les sarcasmes des voisins, les reproches des parents et des femmes. Et les questions des gosses. Rien de plus cruel que les questions innocentes des enfants.

Ainsi souffraient-ils et pleuraient-ils. Jean écrit (20,19) qu'ils s'étaient enfermés « par peur des Juifs » (c'est-à-dire, dans son langage, de leurs adversaires). Marc précise (16, 9-13) qu'ils ont refusé d'entendre ceux qui, les premiers, leur ont annoncé l'incroyable. Luc raconte que les disciples d'Emmaüs, qui avaient déjà fait leurs paquets et pris la route, désespérés, le « visage sombre » (24,17), n'avaient même pas cru ceux qui leur parlaient du tombeau vide, du cadavre disparu, ni les femmes qui annonçaient Jésus vivant. C'était, à leurs yeux, des racontars, des sornettes, des folies.

Et voilà qu'ils le croient, qu'ils en sont persuadés : il vit. Autrement, mais il vit.

N'essayons pas de nous mettre à la place de ces hommes, dans leur peau, dans leur tête. Entre eux et nous, il n'y a pas seulement vingt siècles : tout un monde. Mais nous pouvons comprendre ceci : dès qu'ils ont acquis la certitude de sa résurrection, il leur a fallu s'expliquer, expliquer aux autres aussi, cet impensable ; il leur a fallu s'expliquer, expliquer aux autres aussi, ce qui leur était arrivé, ce qu'ils avaient vécu avec lui et le sens de cette histoire unique. On peut les imaginer se creusant la mémoire : « Tu te souviens de ce qu'il disait, là, à propos du figuier ? » Ou de l'histoire du fils prodigue, ou de l'image de l'agneau, ou du Temple qui dressait toujours ses pierres blanches, ses lames d'or et ses puissantes colonnades corinthiennes, du Temple qu'il avait défié pourtant. On peut les imaginer se contredisant : « Non, il ne disait pas tout à fait comme cela. » On peut se représenter aussi cette force qui les soulevait, qui les poussait à annoncer, à proclamer. Mais pour proclamer, il faut savoir ce que l'on dit, il faut d'abord avoir compris.

Or, ce qui venait de se produire était, dans une large mesure, contraire à ce que l'on croyait autour d'eux, à ce qu'ils avaient eux-mêmes longtemps cru, à la plupart des conceptions de leur époque. À ce sujet, l'histoire, les textes, nous fournissent bien des données. Solides.

Passe encore pour la Résurrection. Ce n'est pas pour les Juifs une idée entièrement neuve. Dans les synagogues où l'on relit la Bible, ils ont entendu parler du retour à la vie du fils d'une veuve (laquelle avait déjà bénéficié d'un autre miracle) après l'intervention du prophète Élie (Ier livre des Rois 17, 17-24). Élisée avait obtenu de Dieu le même miracle (IIe livre des Rois 4, 8-37). Mais il s'agissait plutôt de réanimations, comme pour Lazare, l'ami de Jésus :

la vie habituelle, terrestre, reprenait son cours, jusqu'à une nouvelle mort, définitive celle-là.

Les Juifs du Ier siècle qui admettent l'existence d'une autre vie sont donc plutôt rares. Les grands prêtres et leur clan, ceux qu'on appelle « sadducéens » et qui tiennent le haut du pavé à Jérusalem, n'y croient même pas du tout : à leurs yeux, le bien que procure l'Éternel à qui observe ses commandements est une vie longue et heureuse. Pas davantage.

Les pharisiens, hommes pieux qui contrôlent les synagogues, admettent, eux, la possibilité d'une résurrection. Un texte du prophète Daniel n'évoque-t-il pas le temps de « Michel, le grand Prince » en qui l'on peut voir l'archange, chef de l'armée céleste : « En ce temps-là (...) beaucoup de ceux qui dorment dans le sol poussiéreux se réveilleront, ceux-ci pour la vie éternelle, ceux-là pour l'opprobre, pour l'horreur éternelle » (Daniel 12, 2). C'est bien l'idée d'une vie après la vie, d'une résurrection et d'un jugement pour chaque individu et, au temps de Jésus, cette idée connaît un certain succès.

Il est pourtant difficile de savoir si la croyance en la résurrection inspirée par ce texte de Daniel a pénétré la masse du peuple, les *am-ha-arez* (traduisez « gens du pays » ou, de manière péjorative, « péquenots », « culs-terreux », car ils sont méprisés par tous les autres, jugés ignorants, et impies par-dessus le marché). Des croyances diverses traversent, semble-t-il, cette « populace » comme disaient les pharisiens (Jean 7, 49). Car les idées circulent dans tout l'Orient, comme sur les rives de la Méditerranée. Ce monde n'est pas immobile. Israël n'est pas hermétique. Les courants commerciaux, les voyageurs, transportent aussi mythes, légendes, croyances multiples.

Il existe par exemple, venue de la religion iranienne, une vague idée de résurrection des morts, mais elle n'a pas marqué profondément les esprits.

Il y a aussi, venue cette fois d'Égypte, l'histoire d'un pharaon décédé, monté au ciel, assis à côté du dieu du Ciel, Rê, et qui était « plus radieux que les radieux, plus excellent que les excellents, plus durable que les durables ». Mais cette histoire datait de deux mille six cents ans avant notre ère, et on ne voit pas qu'elle ait beaucoup marqué la mémoire et la foi des Juifs du temps de Jésus.

Il y avait eu encore les cultes cananéens (le pays de Canaan correspondant à la bande littorale de la Méditerranée) du dieu Baal censé renaître chaque année, comme la végétation, après la mort de l'hiver, et l'on croit en trouver quelques souvenirs dans la Bible, par exemple chez le prophète Osée[1].

Mais c'est la pensée grecque dont l'influence est la plus forte. Dans ce monde méditerranéen le pouvoir politique est romain, et la culture grecque. Y compris, de plus en plus, chez les Juifs, malgré les efforts des pharisiens, soucieux de protéger l'identité du judaïsme, l'intégrité de leur religion. Il existe même une littérature juive de langue grecque. Et les premiers missionnaires chrétiens, partis de Judée ou de Galilée pour répandre leur foi, se heurtent partout à cette pensée grecque, tout à fait hostile à l'idée d'un au-delà. Ainsi, quand Paul, à Athènes, parle de « l'homme » (Jésus) que Dieu « a ressuscité d'entre les morts », il est interrompu par des quolibets et des éclats de rire : « Nous t'entendrons là-dessus une autre fois » (Actes des Apôtres 17, 31-32).

Au total cependant, surtout si l'on prend en compte le texte de Daniel, daté du VIe siècle avant Jésus[2], l'affirmation de la résurrection ne pose pas de problème insurmontable aux compagnons de celui-ci et à ceux qui les écoutent. Un problème moins difficile, en tout cas, que l'Incarnation. L'Incarnation, l'idée d'un Dieu fait homme, c'est une autre affaire. Un scandale, un blasphème, une folie.

Bien sûr, les Juifs croient que Dieu a contracté alliance avec Israël, qu'il est toujours prêt à l'aider[3], qu'il se montre bienveillant envers tout homme « qui est broyé et qui en son esprit se sent rabaissé » comme le dit le livre d'Isaïe (57,15). Le même texte prête pourtant à l'Éternel ce propos : « Haut placé (...) je demeure. » Autrement dit, Dieu peut s'intéresser à l'homme, lui tendre la main, même se passionner pour lui. Il est impensable, en revanche, qu'il se fasse homme.

Dans un texte du IIe siècle, le chrétien Justin (né de parents païens, qui se convertit et enseigna à Rome avant de mourir martyr) dialogue avec un Juif imaginaire, identifié par certains à un rabbin, Tryphon, un homme de bien, amoureux de la vérité et de la philosophie. Et ce Tryphon est époustouflé : « Il y a quelque chose d'incroyable de vouloir démontrer que Dieu a enduré d'être engendré et de se faire homme[4]. » Parce que Dieu est le Très-Haut, le Tout-Autre. Le théologien Hans Küng explique : « Le véritable argument contre l'incarnation est le suivant : l'incarnation aboutit à *chittouf* (...) c'est-à-dire au "mélange", au "commerce", à l'"adjonction" blasphématoire de quelque chose de créé, d'humain, à Dieu[5]. » Aussi bien les Juifs sont-ils scandalisés par les occupants romains qui divinisent leurs empereurs, des hommes. Et les Romains, plutôt respectueux des religions de leurs colonies, se gardent de faire entrer dans Jérusalem des étendards portant le portrait de ceux-ci. Un seul de leurs représentants osera le faire : Pilate. Ce qui lui attirera des ennuis. L'empereur Caligula, quelques années plus tard, ira plus loin encore : il voudra imposer le culte de sa propre personne. Et se heurtera à une résistance désespérée.

L'idée d'incarnation n'est pas plus facile à faire admettre aux Grecs. On voit, certes, dans nombre de textes grecs, apparaître des hommes-dieux partageant les passions et les joies de tout un chacun. Mais comme le note Emmanuel Levinas, « au prix de cette manifestation, les dieux perdent leur divinité[6] ». Que le Dieu d'Israël se soit fait homme, voilà qui paraîtra absurde au philosophe grec Celse, disciple de Platon, qui écrira à la fin du IIe siècle une critique violente du christianisme : « Quel sens, demandera-t-il, peut avoir pour un Dieu un voyage comme celui-là ? Serait-ce pour apprendre ce qui se passe chez les hommes ? Mais ne sait-il pas tout ? Est-il donc incapable, étant donné sa puissance divine, de les améliorer sans dépêcher quelqu'un corporellement à cet effet[7] ? »

Pour la philosophie grecque de l'époque, en outre, et contrairement à une idée très répandue, le corps est méprisable, il n'est que la prison, voire le tombeau ou l'ennemi de l'âme. Certes, par les sports et les bains, l'homme doit s'efforcer de développer un corps propre, fort, exempt de handicaps ou d'infirmités ; mais c'est pour que celui-ci se fasse oublier, ne soit pas obstacle à la santé de l'âme : un esprit sain dans un corps sain. « La beauté devient un idéal, c'est-à-dire une façon de nier la réalité du corps en représentant ce que l'homme a de divin : l'âme[8]. »

Bref, le fait de l'incarnation est inacceptable pour tout le monde. Si bien que la plupart des textes de l'époque vont gommer l'humanité de Jésus.

D'abord dans leur présentation des conditions de sa naissance et de son enfance. Les Évangiles de Luc et Matthieu, les seuls à évoquer celles-ci, indiquent qu'il est né d'une vierge, tandis qu'une chorale d'anges chantait à tue-tête dans un ciel de feu d'artifice. Les Évangiles apocryphes, non reconnus par l'Église catholique (même s'ils ont inspiré certaines de ses traditions) mais révélateurs de croyances répandues aux premiers siècles, accompagnent également la naissance de Jésus de phénomènes lumineux, ou font raconter par une sage-femme que le bébé n'avait aucun poids, que son corps brillait d'une rosée divine et ne portait aucune trace d'immondices.

Bien entendu, Jésus ne peut, pour les auteurs de ces textes, avoir eu une véritable enfance humaine. « Ne me considérez pas comme un enfant. Car j'ai toujours été un homme fait », dit-il dans le *Pseudo-Matthieu*, un manuscrit du VIe siècle. Dans le *Pseudo-Thomas*, autre texte très répandu qui remonterait à une source syriaque antérieure à l'an 400, le jeune Jésus condamne à la mort subite un gamin qui a eu le malheur de le bousculer et il provoque en outre la cécité des parents de celui-ci : ils ont eu en effet l'audace de protester ! Il ridiculise aussi ses maîtres d'école, ressuscite quand même un gosse tombé d'un toit, histoire de manifester sa puissance, et s'assagit en prenant de l'âge pour devenir enfin parfait à douze ans.

Marie, non plus, n'appartient pas à l'humanité ordinaire : sa naissance est miraculeuse, selon le *Protoévangile de Jacques* (très ancien puisqu'il date du IIe siècle). Sa mère, Anne, l'installe presque aussitôt dans un sanctuaire, avant de la confier au Temple où un ange se chargera de la nourrir ; à douze ans, enfin, elle sera fiancée, si l'on peut dire, à Joseph, nonagénaire. Elle concevra en son absence. Comme l'écrit France Quéré, docteur en théologie : « Avant et après, elle n'est que pour Dieu. Ce n'est plus un corps, c'est un tabernacle[9]. »

Il s'agit, certes, de textes apocryphes. Mais ils ont nourri l'imaginaire de bien des chrétiens et influencé leur foi : de nombreux textes, images et vitraux en témoignent.

Les Évangiles « canoniques », reconnus par l'Église, eux, soulignent certes par instants l'appartenance de Jésus à l'humanité – ainsi il souffre, il prend à certains moments des précautions pour éviter la mort – mais n'insistent pas vraiment sur les aspects tout à fait humains de sa vie. Ce n'est pas, il est vrai, leur objectif prioritaire. Pour les premiers compagnons de Jésus, en effet, la question n'est pas de prouver que Dieu s'est fait homme, mais que cet homme, Jésus, était Dieu ; ce que, d'ailleurs, le Nouveau Testament n'affirme pas toujours clairement.

À cette vie terrestre de Jésus, Paul, l'un des plus actifs des Apôtres, ne s'intéressera pas davantage. Dans ses épîtres, de façon significative, il utilise moins le nom de Jésus que le qualificatif de « Christ » et de

« Seigneur »[10]. Dans l'épître aux Philippiens (les premiers chrétiens du continent européen) Paul indique cependant que Jésus a pris « condition d'esclave, devenant semblable aux hommes » (Phil. 2, 7). Il s'avance davantage encore quand il écrit aux Galates, des descendants de Gaulois installés dans l'actuelle Turquie, en insistant sur le fait que Jésus est « né d'une femme » (Gal. 4, 4). Homme, donc. Il dit bien « femme », *gunê* en grec, et non « jeune fille » ou « vierge », *parthenos*.

Reste de tout ce que nous venons de constater qu'il était presque impossible aux hommes de ce temps, à commencer par les Juifs, d'admettre l'Incarnation. Le père François Dreyfus, dominicain, l'affirme avec force dans ce qui apparaît comme une confidence personnelle : « Il faut avoir soi-même vécu l'itinéraire spirituel d'un saint Paul pour mesurer *l'énorme (c'est lui qui souligne)* difficulté que présente pour un juif orthodoxe la foi au mystère de l'Incarnation. Par rapport à celle-ci, tous les autres obstacles sont des enfantillages dérisoires (...). Pour celui qui a fait une pareille expérience, il y a une évidence qui s'impose : le juif pieux du Ier siècle est dans une situation identique à celui d'aujourd'hui. Seule une certitude très forte peut l'amener à contourner cet obstacle. Et seul un enseignement indiscutable de Jésus remplit cette condition[11]. »

Autrement dit, si les compagnons de Jésus ont fini par croire que cet homme avec qui ils avaient erré sur les routes, partagé succès et rebuffades, cet homme qu'ils avaient vu parfois fatigué, épuisé, malade, assoiffé, affamé comme eux, avec qui ils avaient, dirait-on aujourd'hui, tant « galéré », s'ils ont fini par croire, donc, qu'il était Dieu, fils de Dieu (ce qui était une autre question, car Israël ne croyait qu'au Dieu unique, n'avait guère entendu parler de son fils), c'est qu'il le leur avait dit, avec suffisamment de force pour convaincre ces têtes dures, et qu'il le leur avait prouvé. Et si ce Paul, qui n'était pas non plus un gamin, qui appartenait en outre au camp opposé, avait fini par le croire lui aussi, c'est qu'une étonnante force de persuasion l'avait fait basculer.

Pourtant, il y avait plus difficile à admettre : que cet homme soit crucifié alors qu'il était fils de Dieu, Dieu lui-même. Voilà, pour les compagnons de Jésus, l'épreuve la plus rude peut-être.

La croix, on le sait, est alors le pire des supplices, la mort la plus infamante : avant le bûcher, la décollation, et l'arène où l'on affronte les fauves. La croix, c'est l'épreuve que Crassus avait réservée aux esclaves révoltés menés par Spartacus et dont les milliers de corps déchiquetés furent ainsi suspendus aux bois, le long de la voie Appienne, entre Capoue et Rome. L'épreuve que les Césars réservaient aux ennemis de l'État et aux traîtres, aux plus grands criminels. Celle que les occupants romains avaient fait subir à bien des Juifs. Qui, eux aussi, dans le passé, l'avaient connue et utilisée comme peine capitale. Et qui la jugeaient non moins infamante...

Les compagnons de Jésus doivent donc accepter, et faire partager, l'idée que celui-ci, bien qu'il ait souffert la mort et la mort la plus ignominieuse qui soit, est le Messie, le Fils de Dieu. Que le Très-Haut a accepté de devenir le Très-Bas.

Or, l'idée même d'un Messie souffrant n'est pas du tout envisagée par les Juifs de cette époque. Il existe pourtant chez le prophète Isaïe un poème (du VIe siècle avant J.-C.) qui évoque en de très beaux versets un Serviteur opprimé par les hommes et exalté par Dieu :

> Le Seigneur a fait retomber sur lui
> la perversité de nous tous.
> Brutalisé, il s'humilie ;
> il n'ouvre pas la bouche,
> comme un agneau traîné à l'abattoir
> (...).
> Mais, Seigneur, que, broyé par la souffrance, il te plaise ;

daigne faire de sa personne un sacrifice d'expiation,
qu'il voie une descendance, qu'il prolonge ses jours,
et que le bon plaisir du Seigneur par sa main aboutisse.

(Isaïe 53, 6-10)

Ce texte, les premiers chrétiens vont bientôt s'y référer, le présenter comme une annonce de la vie, de la mort et de la résurrection de Jésus. Mais pour ceux qui les entourent, pour la tradition juive, ce poème dit « du Serviteur souffrant » n'a pas du tout ce sens. Il met en scène l'Israël fidèle, broyé par l'exil en Mésopotamie et qui sera bientôt exalté, libéré grâce à la victoire d'un païen, Cyrus, sur le dernier monarque babylonien, Nabonide (Cyrus pénètre à Babylone en 539 et les chapitres 40 à 55 du livre d'Isaïe sont datés de cette époque).

Pour les Juifs, donc, ce texte ne peut en aucun cas s'appliquer au Messie qu'ils attendent[12].

Il est vrai que les esséniens, ce groupe religieux connu de longue date mais que la découverte de 1947 des manuscrits de la mer Morte a rendu célèbre, assimilent un « Maître de Justice » persécuté au Serviteur dont parle Isaïe. On trouve dans un de leurs textes cette phrase : « Tes fils porteront la main sur lui pour le crucifier[13]. » Mais les esséniens n'étaient guère nombreux – quatre mille hommes et femmes environ à cette époque – et le mode de vie quasi monastique, dans le désert, de la plupart, limitait leur influence.

On comprend donc que le rabbin Tryphon, dans le dialogue avec Justin déjà cité, soit purement et simplement scandalisé : « Vous mettez, s'exclame-t-il, votre espoir en un homme crucifié[14]. » Et saint Paul ne pourra que constater : « Nous prêchons, nous, un Christ crucifié, scandale pour les Juifs et folie pour les païens » (I Corinthiens 1, 23). Il contredit ainsi, au moins en partie, ce que l'auteur des Actes des Apôtres fait dire à Pierre : « Dieu, lui, a ainsi accompli ce qu'il avait annoncé d'avance par la bouche de tous les prophètes, que son Christ souffrirait» (Actes 3, 18). Bien plus, Paul se contredit lui-même. Il assurera en effet, lors de son procès devant le roi Agrippa, à Césarée, avoir seulement répété «ce que les prophètes et Moïse avaient déclaré devoir arriver: que le Christ souffrirait et que, ressuscité le premier d'entre les morts, il annoncerait la lumière au peuple et aux nations païennes» (Actes 26, 22-23).

Il est évident que si *tous* les prophètes, comme dit Pierre, avaient annoncé les souffrances du Christ, sa crucifixion apparaîtrait moins scandaleuse aux Juifs.

Ces contradictions mettent en lumière le désarroi des compagnons de Jésus qui cherchent, non sans peine, dans la tradition juive, dans les Écritures, ce qui pourrait expliquer l'événement qu'ils viennent de vivre. L'Évangile signé Luc assure même que c'est Jésus, ressuscité, qui va les y aider: «Alors il leur ouvrit l'esprit à l'intelligence des Écritures et il leur dit: "Ainsi est-il écrit que le Christ souffrirait et ressusciterait d'entre les morts le troisième jour"» (Luc 24, 45-46). Mais Luc ne dit pas où cela est écrit. Parce que l'on n'en trouve aucune trace dans les textes antérieurs aux Évangiles et aux lettres de Paul.

Comment, dès lors, les compagnons de Jésus vont-ils résoudre cette épineuse question? En expliquant que le Christ, comme il le leur a dit, reviendra, mais dans la gloire cette fois. C'est ce qu'annonce l'épître aux Hébreux: «Le Christ, après s'être offert une seule fois pour effacer les péchés d'un grand nombre, apparaîtra une seconde fois à ceux qui attendent de lui un salut» (10, 27-28)[15].

Notons que dans cette phrase existe aussi l'idée que Jésus s'est «offert pour effacer les péchés». C'est l'idée du sacrifice, l'idée que le fils de Dieu s'est fait volontairement bouc émissaire pour la «satisfaction» de son père, comme diront plus tard des théologiens. Et cette idée connaîtra, jusqu'à nos jours, un immense et scandaleux succès.

Comment justifier cette idée? Les compagnons de

Jésus ne disposent, pour expliquer sa mort ignominieuse, que des conceptions de leur temps. Osons dire : de la boîte à outils intellectuels de leur temps. Et que trouvent-ils dans cette boîte à outils ? L'idée du sacrifice.

Elle domine, nous le verrons, toutes les religions anciennes et paraît aussi vieille que l'humanité. Aussi loin que l'on remonte dans le temps, on voit des hommes offrir des sacrifices à des divinités, puissances cachées, afin de se concilier leur bienveillance, commercer avec elles, leur promettre de renoncer aux plaisirs, s'engager à changer de vie, décider l'abandon de biens terrestres, pour obtenir en échange succès, guérisons, naissance désirée, et ainsi de suite. Sur tous les continents, les religions antiques ont même fait offrir aux dieux ce que les hommes ont de plus cher : des hommes.

Il existait ainsi chez les peuples primitifs un rite de la mise à mort du roi divinisé, de l'homme-dieu. On le tuait pour qu'il transmette son esprit, quand il sentait décliner ses facultés, à un successeur plus vigoureux. Un autre rite allait plus loin : c'est le fils du roi que l'on offrait en sacrifice ; le roi, qui désirait garder la vie, devait se trouver un suppléant pour aller à la mort à sa place, un suppléant possédant les mêmes attributs divins que lui. Et qui, mieux que son fils, pouvait partager son inspiration divine ? On allait donc tuer le fils pour garder le père. Ce type de sacrifice paraît avoir existé dans la Grèce ancienne. Et chez les Sémites de l'Asie occidentale (qui n'étaient pas tous hébreux, loin de là, mais phéniciens, araméens, etc.), la mise à mort du fils du roi selon les rites mystiques était une pratique courante. Enfin, l'usage de mettre à mort tous les enfants premiers-nés, fils de roi ou non, semble avoir existé dans bien des parties du monde[16]. Ces idées ou ces souvenirs ont rôdé dans les têtes, imprégné les mentalités.

Le sacrifice – non humain – est encore essentiel à la religion juive au temps de Jésus. Quand un homme pieux – Joseph par exemple –, souffrant du péché qui l'a éloigné de Dieu, se rend au Temple de Jérusalem, il emmène au cœur de l'immense édifice, sur le parvis d'Israël (où femmes et enfants ne sont pas admis), une colombe, un mouton, voire un taureau. Approchant de l'autel, il étend la main sur la tête de l'animal qui va mourir : ainsi manifeste-t-il qu'il entend être identifié à lui ; c'est sa propre mort qu'il mime, car, en raison du mal dont il s'est rendu coupable, il ne mérite lui-même que la mort.

Voilà pour les animaux, substituts d'hommes. Mais le livre des Macchabées (IIe siècle avant J.-C.) raconte le martyre de sept frères anonymes (sept étant un chiffre sacré) persécutés, torturés à mort, parce que les occupants d'Israël voulaient les contraindre à violer la loi, notamment en mangeant du porc (II Macch. 7, 1-42). Ces garçons suppliciés devant leur mère s'étaient offerts eux-mêmes en sacrifice pour la nation. On passait donc du sacrifice rituel au sacrifice de soi-même. Le sacrifice devenait don de soi, offrande. Et cette légende, transmise oralement, avait beaucoup marqué les esprits.

Voilà ce que les compagnons de Jésus vont trouver dans ce que j'ai appelé leur boîte à outils intellectuels. Ils n'ont pas tellement le choix. Ils vont donc expliquer le nouveau, l'inédit, avec du matériel ancien.

Qui ne les comprendrait ? Ils annonçaient la Résurrection, preuve de la divinité. Mais une question se posait : pourquoi Dieu n'avait-il pas préservé Jésus de la mort plutôt que d'attendre qu'il soit assassiné pour le sauver ensuite ? Ils ne pouvaient exalter la Résurrection que s'ils fournissaient une explication sur la mort. Et ils ne pouvaient attendre des années pour le faire. Dès son premier discours aux Juifs et aux gens qui séjournaient à Jérusalem, Pierre assure donc que cette mort, Dieu l'avait pressentie : Jésus avait été livré « selon le dessein bien arrêté et la prescience de Dieu » (Actes 2, 14-23). Et quel était ce dessein de Dieu ? Réponse de Paul : il « n'a pas épargné son propre fils, mais l'a livré pour nous tous» (Romains 8, 32). Ce qui sera ainsi traduit: pour l'expiation des péchés du monde (or le mot «expiation» n'apparaît que rarement – huit fois – dans tout le Nouveau Testament). Ainsi, l'idée du sacrifice du dieu, bouc émissaire, resurgit des siècles anciens, alors que les Évangiles ne présentaient pas nettement la mort du Christ comme un sacrifice expiatoire.

Cette explication sera d'autant plus facilement acceptée qu'elle est simple. Il convient de se demander, avec humilité bien sûr mais nous le ferons, si elle ne s'est pas traduite dans de nombreux esprits par un dangereux malentendu.

Voilà, provisoirement, pour le sacrifice.

De la même manière, quand les premiers chrétiens s'interrogeront sur les conditions de la naissance de Jésus, ils se référeront évidemment aux conceptions de l'époque, à l'idée que l'on avait alors de la personne.

Pour nous, aujourd'hui, une personne n'existe qu'en se faisant. Elle n'est pas un pur produit de la nature, pas seulement le fruit de la rencontre physique d'un homme et d'une femme. Elle se construit chaque jour dans ses relations avec les autres, dans son action, dans l'exercice de sa liberté. Elle n'est pas toute faite à la naissance. Elle se fait. Un bébé est une personne, un commencement de personne, parce qu'il éprouve des sentiments et prend des initiatives: il crie quand il a mal ou quand il a faim, il sourit quand il retrouve l'odeur de sa mère ou quand il rencontre son sourire. Il est enfin une personne accomplie lorsqu'il devient capable de multiplier les initiatives, d'user de sa liberté pleinement.

Cette conception de la personne, les anciens n'en avaient aucune idée. Ce qui eut des conséquences considérables dans le développement de la doctrine chrétienne. À propos notamment de la virginité de Marie qui – pour des raisons que l'on n'étudiera pas ici car il y faudrait au moins un autre livre – paraît plus importante à de nombreux chrétiens, c'est un fait, que bien d'autres articles du Credo.

Pour les anciens, c'était le père, seul, le mâle, qui donnait la vie et la personnalité au bébé, la femme n'étant qu'un réceptacle, un réceptacle nourricier de la semence masculine. La femme jouait le même rôle que la terre qui nourrit la graine, celle-ci recelant en elle-même toutes les virtualités de développement, toutes les caractéristiques de la future plante.

Les évangélistes qui affirment que Jésus est fils de Dieu se heurtent donc à un problème difficile. Luc et Matthieu, les seuls à évoquer les conditions de sa naissance, n'ont pas le choix : ils sont contraints d'écarter toute participation physique de Joseph s'ils veulent expliquer que Jésus est, en personne, le fils de Dieu. Et ils sont, de même, contraints de faire intervenir dans leur récit, à la place de l'homme Joseph, le souffle créateur de Dieu, le dynamisme de Dieu, son esprit.

Nous savons, nous, que la personne se construit autrement, qu'elle n'est pas tout entière contenue dès l'origine dans la semence masculine, et que l'acquis compte autant, souvent plus, que l'inné. Nous savons, nous, que bien des enfants ressemblent plus à leur père adoptif, « tiennent » plus de leur père adoptif que de leur père biologique. Il n'est pas nécessaire, à nos yeux, que Marie soit fécondée par l'Esprit pour que Jésus soit fils de Dieu. Mais il en allait autrement pour les anciens.

L'essentiel est ailleurs que dans la virginité de Marie. L'essentiel est ce que Luc et Matthieu voulaient affirmer, la naissance de Jésus par la volonté de Dieu. Ni ces deux évangélistes, ni leurs contemporains que cette question ne tracassait guère (on en a bien des indices), n'accordaient la priorité dans leur foi aux conditions physiques de cette naissance, dont on fit tant de cas par la suite.

Écrire cela, qui fera sans doute sursauter quelques-uns, n'est attenter en rien à la grandeur de Marie. Au contraire : si l'on considère que la personne humaine de Jésus s'est bâtie, comme toute personne humaine, dans sa relation avec les autres, le premier « autre » avec qui il ait entretenu des rapports étroits, intimes, fut Marie. Le rôle de celle-ci n'en est que plus grand.

Ainsi, les croyances des chrétiens ont-elles été conditionnées, sont encore conditionnées aujourd'hui, par les conceptions intellectuelles, le matériel intellectuel, de l'époque de Jésus.

Au terme de ce premier tour d'horizon, nous sommes donc fondés à nous demander si l'enseignement de Jésus n'a pas souffert de déformations, si le Dieu annoncé par Jésus est bien celui qu'ont imaginé, cru, identifié, au long des siècles, les esprits de millions et de millions de chrétiens. Les Églises ont joué, certes, un rôle capital en nous transmettant le message du Christ. Mais qui ne sait qu'elles ont parfois erré, qu'il faut en tout cas toujours poursuivre la recherche pour revenir au cœur, à l'essentiel de l'essentiel. D'ailleurs – il faut les en louer –, elles-mêmes le font.

Ce que l'Église catholique appelle la Tradition ne peut donc être un dépôt d'archives, rangé dès les origines dans un coffre bien gardé, auquel on ajouterait au fil des siècles d'autres archives. S'il faut trouver une comparaison, on pourrait figurer cette tradition, l'ensemble des doctrines et des explications de la foi chrétienne, comme un fleuve qui trouve sa source au Ier siècle et court ensuite, en s'enrichissant de nouveaux matériaux arrachés à ses berges, aux contrées et aux temps qu'il traverse, un fleuve qui cascade et bouillonne, rencontre des obstacles, et même change quelque peu de lit. Mais c'est toujours le même fleuve. Et la même source[17].

Ce fleuve, nous allons le suivre tout au long de ce livre, et cette source, nous y reviendrons sans cesse.

Ce qui nous amènera à examiner plus en détail la plupart des points esquissés dans ce premier chapitre. Nous les développerons au risque de nous répéter car l'un explique l'autre, l'un éclaire l'autre et – nous le verrons – tout se tient. Mais il faut auparavant élucider une question : pourquoi, alors que Jésus, joyeux, annonçait la meilleure des nouvelles, le christianisme apparaît-il aujourd'hui, aux yeux de beaucoup, comme une religion des larmes et du deuil ? C'est le premier malentendu, fondamental, qu'il faut dissiper. Car il en entraîne beaucoup d'autres.

CHAPITRE II

Un Dieu vivant représenté par un homme mort

En 1995 et 1996, des centaines de milliers de femmes et d'hommes se sont précipités, à Washington d'abord, puis à La Haye, pour admirer l'exposition des œuvres maîtresses du grand peintre Johannes Vermeer. Il y avait là quelques tableaux d'importance, tels que *La Laitière, La Dentellière,* la *Vue de Delft* avec son très célèbre petit pan de mur jaune, et aussi une grande toile qui, lorsque je me suis rendu au Mauritshuis de La Haye, ne semblait pas retenir l'attention de nombreux visiteurs : c'était une *Allégorie de la Foi*.

La foi, sur ce tableau, est personnifiée par une femme au teint pâle et à la robe blanche qui pose un pied sur le globe terrestre et retient de la main son sein, son cœur. On remarque autour d'elle un calice, un crucifix et la reproduction d'une *Crucifixion* du Flamand Jacob Jordaens. Le tout sur fond obscur, très sombre. Les traits de la jeune femme, les yeux levés au ciel, extasiée, manifestent beaucoup de dévotion mais aussi une grande mélancolie, j'oserais dire une certaine tristesse.

Le tableau ne se limite pas à cette scène : Vermeer, afin de dévoiler l'allégorie, a peint, drapée sur la gauche, une tapisserie multicolore. Ce n'était pas la première fois qu'il utilisait un tel procédé : dans *L'Art de la peinture*, un tableau que l'on peut voir au Kunsthistoriches Museum de Vienne, une tapisserie est pareillement écartée sur la gauche. Mais c'est alors pour dévoiler un mur lumineux, et non obscur, devant lequel une belle jeune femme, qui sert de modèle au peintre, tient un instrument de musique. C'est la tapisserie, sur cette toile, qui est sombre, et ce qu'elle cachait avant d'être repliée, c'est la vie. Dans l'*Allégorie de la Foi*, en revanche, la tapisserie est très colorée, animée par des personnages et un cheval ; on distingue même, à l'arrière-plan, un village et son clocher. L'ensemble de cette tapisserie-là donne un sentiment de vie que l'on ne retrouve certes pas dans le reste de la toile. La foi est triste, la vie est ailleurs.

J'ai fait plusieurs fois le tour de cette exposition, revenant toujours à ce tableau, frappé de la tristesse qu'il révélait (peut-être sans que le peintre l'ait souhaité ; les livres que j'ai consultés sur ce sujet ne permettent pas de le savoir).

À l'époque où je suivais ainsi les foules qui allaient vers Vermeer, je participais à de nombreuses réunions, colloques, débats en tous genres sur la personne de Jésus, et j'ai souvent posé la question à mes interlocuteurs : connaissaient-ils l'image d'un Jésus souriant, rayonnant du bonheur d'annoncer la Bonne Nouvelle, heureux de participer à notre existence terrestre ? Le plus grand silence, presque toujours, fut la seule réponse. On me cita bien un Christ en croix, précieusement gardé par les moines des îles de Lérins en Méditerranée, dont les lèvres dessinent une sorte de sourire, mais le reste du visage dément cette interprétation et incline plutôt à penser à un rictus. Je reçus aussi, par la suite, quelques très rares images venues d'Allemagne, ou extraites de publications de sectes américaines. Presque rien, si l'on songe à la multitude d'images de Christ décharnés, pleurant, squelettiques, ensanglantés, au visage creusé, désespéré, que l'on voit dans presque tous les lieux de culte, sur les tableaux des musées, et dans la plupart des maisons chrétiennes. Les sourires sont réservés au bébé de la crèche et, parfois, aux anges. Jésus ne sourit jamais, même lorsque les tympans des églises et des basiliques le montrent triomphant ; tout au plus est-il paisible, assuré, serein.

Quand j'étais enfant de chœur – avant le Concile –, le prêtre commençait la messe par la récitation d'un psaume (en latin, bien sûr) qui débutait ainsi : *Introibo ad altare Dei*, « Je monterai à l'autel de Dieu » ; à quoi je répondais : *Ad Deum qui laetificat juventutem meam*, « Près du Dieu qui réjouit ma jeunesse ». Et quand, ayant ainsi répondu, je redressais la tête vers l'autel, je n'y voyais que l'image d'un crucifié, perclus de douleurs. Il m'arrivait alors de m'interroger.

Jésus a lancé de multiples appels à la joie. Les Évangiles en retentissent. Il y est question de noces (Matthieu 22, 2 ; 25,10), de festins (Luc 14, 15-24 ; 22, 15-12), de rassemblements d'amis et de voisins pour fêter le retour de la brebis perdue (Luc 15, 5-7) ou du fils prodigue (Luc 15, 11-24), ou même la découverte d'un trésor qui est le Royaume des cieux (Matthieu, 13, 49). Quand le fils prodigue revient à la maison, son père ne lui fait nul reproche, ne lui demande aucune pénitence, n'attend de lui l'expression d'aucun regret. Il ne souhaite qu'une chose : que ce fils trouve sa joie dans la bonté de son père. Eduard Schweizer, professeur de Nouveau Testament à Zurich, souligne à ce propos : « Nulle part l'effort désespéré du pénitent qui s'efforce de faire son salut n'apparaît digne d'éloge[1]. »

Il cite, pour illustrer cette remarque, une parabole de l'Évangile de Marc : « Il en est du Royaume de Dieu comme d'un homme qui aurait semé du grain en terre : qu'il dorme et qu'il se lève, la nuit et le jour, la semence germe et pousse, il ne sait comment. D'elle-même, la terre produit d'abord l'herbe, puis l'épi, puis plein de blé dans l'épi. Et quand le fruit s'y prête, aussitôt il y met la faucille, parce que la moisson est à point » (Marc, 4, 26-29).

Comme le note Schweizer, il n'est pas question ici d'épouvantails pour écarter les oiseaux, de mauvaise herbe à arracher, de systèmes d'irrigation, ou d'autres travaux pour assurer une meilleure récolte. Rien de ce genre.

Autrement dit, la joie de Dieu est donnée sans condition. « Lorsque nous vivons ainsi dans la joie, poursuit-il, tout calcul cesse. La joie perçoit le don du Père. Aussi peut-elle entrevoir le don qui n'est pas encore là et qui vient du Père. Elle n'est donc jamais sans avenir, sans espérance. »

Cette joie qu'annonce Jésus, à laquelle Jésus appelle, n'est pas réservée à demain. Elle est pour aujourd'hui, si l'on en croit l'Évangile de Jean. Celui-ci situe pendant le dernier repas, la Cène, un long discours de Jésus que l'on appelle souvent « le Testament du Seigneur », et qui rassemble, à coup sûr, des propos tenus à divers moments. Ce qui n'enlève évidemment rien à leur intérêt. Or, que dit Jésus à ses compagnons, et à travers eux à ceux qui les suivront ? Ceci :

> Comme le Père m'a aimé,
> moi aussi je vous ai aimés.
> (...)
> Je vous dis cela pour que ma joie soit en vous
> et que votre joie soit complète (Jean 15, 9-11).

Un peu plus loin, Jean cite ce que l'on appelle « la prière de Jésus », dite dans le même lieu, au même instant, si l'on en croit l'évangéliste. Même si l'on doute de cet instant, le fait que ces propos soient situés à cet endroit leur accorde une importance particulière. Or, que dit Jésus à son Père ? Ceci, entre autres :

> Mais maintenant je viens vers toi
> et je parle ainsi dans le monde
> afin qu'ils aient en eux-mêmes ma joie complète
> (Jean 17, 18).

Comme l'écrit Lytta Basset, docteur en théologie[2], « les deux citations concernent le présent ». D'ailleurs,

Jésus souligne qu'il parle « ainsi dans le monde » après avoir dit (verset 11 du même chapitre) qu'il va au Père mais que ses compagnons « restent dans le monde ».

Voilà qui est clair. La joie, Jésus l'a souhaitée, promise pour cette vie-ci.

Certes, la joie ne s'exprime pas fatalement par le rire, ni même par le sourire. Et il existe des rires, voire des sourires, qui ne sont guère joyeux, au contraire. Reste que l'on nous présente le plus souvent Jésus sous l'image d'un crucifié agonisant ou d'un personnage compassé. Reste qu'un père jésuite, qui ne fait que traduire l'opinion d'un certain nombre de clercs, Xavier Tilliette, écrit : « La joie du Fils, sa joie divine, est quelque chose d'absolument secret et inaccessible que nul ne peut ravir, mais à quoi nul ne peut prendre part[3]. » Ce bon père avait peut-être oublié le verset de Jean : « Afin qu'ils aient en eux ma joie complète. » *Ma* joie, dit bien Jésus. Et complète, par-dessus le marché.

Voilà donc quatre Évangiles qui, à partir de la vie et des paroles du même personnage, Jésus, annoncent la Bonne Nouvelle, à savoir que Dieu aime tous les hommes, comme un Père, qu'il fait « lever son soleil sur les méchants et sur les bons et tomber la pluie sur les justes et les injustes » (Matthieu 5, 45), qu'il « est bon, Lui, pour les ingrats et les méchants » (Luc 6, 35). *Voilà donc quatre Évangiles qui, chacun à sa manière, prêchent le bonheur et la joie, mais le christianisme ne respire pas vraiment la joie.*

Il est vrai qu'en ce siècle, et surtout dans les années d'exaltation qui suivirent la fin de la Seconde Guerre mondiale, des générations chrétiennes qui croyaient au progrès, à la réconciliation du monde et de Dieu, ont plus fréquemment chanté des « Alléluias », et plus volontiers pensé qu'il était possible de vivre heureux, ici et maintenant, sur cette terre. Mais ce fut seulement comme une éclaircie – manifestée dans l'Église catholique par l'optimisme et l'espérance du Concile Vatican II. Il est vrai aussi que des minorités, comme les communautés charismatiques, s'empressent de sourire et de chanter à toute occasion. Mais, aux yeux de la plupart des hommes, et au long des siècles – sur le long terme, comme diraient les économistes –, le christianisme ne respire pas la joie.

D'abord parce qu'il n'a longtemps retenu que les propos des Évangiles sur le jugement de Dieu, oubliant qu'il était bon, selon Luc, pour les ingrats et les méchants. Lisons par exemple le sermon d'un évêque de Vence, Mgr de Surian, en 1788 (ce n'est pas si loin, deux siècles : une poignée de générations). Cet évêque vient de décrire « les suites affreuses de la mort », c'est-à-dire la descente aux enfers dont il ne sait rien de plus que vous et moi. Et il poursuit : « Je pense que cette mort sera la mort éternelle de presque tous les chrétiens qui m'environnent ; que cet enfer sera la demeure fixe de presque tous ceux avec qui je vis, avec qui je parle ; quand je songe que c'est peut-être là mon propre sort et mon partage, j'avoue que je ne suis plus maître de ma frayeur. Tout m'afflige, tout me dégoûte sur la terre, et je me trouve à plaindre d'avoir à vous parler, quand je ne me sens disposé qu'à la douleur et aux larmes[4]. »

Il exagère, cet évêque ? Il déprime ? Alors, ils sont nombreux dans son cas. Lisons encore ce catéchisme du diocèse de Montpellier, du XVIIIe siècle lui aussi, dont l'usage se prolongea. Ces catéchismes, comme on le sait, prenaient la forme de questions et réponses. À la question : « Quelle impression la vue de la vie éternelle doit-elle faire sur notre esprit et notre cœur ? » la réponse est la suivante : « Nous porter 1°) à faire tous nos efforts pour y arriver ; 2°) à mépriser toutes les choses de la terre, qui ne sont rien en comparaison de ce bonheur ; 3°) à gémir sur la terre comme étrangers, et à soupirer vers le ciel comme vers notre patrie ; 4°) à nous unir à Jésus-Christ autant que nous sommes capables de le faire, afin que cette union soit consommée dans l'éternité[5]. » Mais pourquoi un Dieu bon aurait-il créé les hommes et la terre s'ils doivent y passer leurs jours à « gémir » ?

On dira qu'il s'agit de textes isolés, choisis par moi pour scandaliser, faire rire, ou appuyer une démonstration. Hélas, non. C'est de toute une littérature cléricale qu'il s'agit. Jean Delumeau en donne de multiples exemples dans son livre *Le Péché et la Peur*[6].

On dira aussi qu'il s'agit de textes anciens. C'est un peu vrai. Mais on peut en trouver d'équivalents jusqu'au lendemain de la Première Guerre mondiale. La terre a été présentée comme une « vallée de larmes » dans de nombreux textes et sermons jusqu'au début des années soixante, c'est-à-dire aux environs du Concile Vatican II. Et c'est ce que dit toujours le « Salve Regina », un cantique que j'aime pourtant, qui éveille en moi des nostalgies, mais que l'on chante heureusement en latin, incompréhensible pour beaucoup. Et voici un gros livre en français, le *Recueil paroissial de prières et cantiques* du chanoine Saurin, édité en 1913, béni par le pape, approuvé par six cardinaux, quarante-cinq archevêques et évêques. Il a été tiré à plus d'un million deux cent mille exemplaires. Un best-seller.

Or, on y trouve des cantiques comme ceux-ci :

Je méprise la terre
Ses biens et ses plaisirs
Rien ne saurait m'y plaire
Au ciel sont mes désirs.
La terre est trop peu
À d'autres la bagatelle
Nous serons heureux
En cherchant les cieux.

Ou encore, à propos de Dieu :

Frémis ingrat pécheur
Un Dieu vengeur
Va sonder ton cœur.

Ce Dieu n'est pas seulement vengeur, il est animé de haine :

Comment si sensuel
D'un feu cruel
Souffrir la peine !
Formé pour le bonheur
Gémir dans la douleur
Et d'un Dieu courroucé porter toujours la haine.
Il vient, tout est dans le silence
Sa croix porte au loin la terreur
Le pécheur consterné voudrait fuir sa présence
Et le juste lui-même est saisi de frayeur.[7]

Ce recueil de cantiques – béni par le pape et approuvé par une petite cinquantaine d'évêques ! – a été utilisé dans de nombreuses paroisses jusqu'au milieu de notre siècle.

On ne chante plus ces textes ? Peut-être. Mais les grands-mères, qui, souvent, se chargent de la formation religieuse de leurs descendants, les ont connus. Les mentalités religieuses ne changent pas si aisément, si rapidement. Les images persistent dans les esprits, et les formules dans les mémoires. Des théologiens réunis en colloques, des centaines d'évêques réunis en synode, un exégète dans un article de revue, peuvent bien faire évoluer quelques expressions, des prêtres zélés peuvent bien s'y acharner, ces évolutions ne sont pas saisies, adoptées aussitôt par les croyants, et encore moins par le grand public. D'autant que, souvent, les théologiens et les évêques n'ont pas paru très désireux de communiquer ni très doués pour la communication – ce que l'on peut comprendre car elle n'est pas facile et ils n'y ont pas été préparés. On peut donc excuser ces clercs, mais on doit leur demander de prendre conscience, d'accepter de reconnaître que des mentalités religieuses en sont encore là, que l'image de Dieu, surtout à l'extérieur des communautés chrétiennes, est encore celle que des siècles ont véhiculée et non celle que beaucoup d'entre eux s'efforcent maintenant de faire admettre.

Des changements, il est vrai, se sont produits, perceptibles jusque dans les paroisses les plus reculées. Elle est passée, l'époque où l'Église jetait l'anathème sur le rire au motif peu raisonnable que l'Évangile ne montre jamais Jésus riant (il est bien d'autres gestes que, « vrai homme », comme dit le Credo, il dut accomplir et dont l'Évangile ne parle pas). Il existait à la condamnation du rire, il est vrai, un autre motif développé par un célèbre prédicateur portugais, le jésuite Vieira, motif que Jean Delumeau résume ainsi : « L'homme était fait pour rire. Mais il a péché, et le malheur s'est abattu sur lui et sur le monde. Il n'y a donc plus de quoi rire[8]. »

D'où un évêque de Meaux concluait en 1520 que « les jours de festes sont instituez (...) non pour rire et s'ébattre, mais pour pleurer ». Et Grignion de Montfort, fondateur d'un ordre féminin, récemment célébré par Jean-Paul II en Vendée, faisait chanter (cantique n° 12, p. 951 de ses *Œuvres complètes*) aux jeunes filles qui aspiraient à la vie religieuse : « Boire, manger, rire, nous doit être un grand martyre. »

Ces prélats et ces religieux avaient des excuses : il existait des précédents. Saint Basile, saint Jean Chrysostome et Clément d'Alexandrie avaient vu dans le rire une manifestation du Diable. Saint Benoît l'avait interdit à ses compagnons. Les consignes données aux confesseurs pendant des siècles considéraient comme des péchés le fait, pour des laïcs, de rire pendant le Carême, les quatre-temps[9], les veilles des grandes fêtes et tous les vendredis.

Il fallut attendre le XIXe siècle pour que certains théologiens suggèrent que l'absence de référence évangélique au rire de Jésus ne signifie pas nécessairement que celui-ci n'avait jamais ri. Mais, en 1995, un article de la très sérieuse revue *Communio* le prétendait encore[10]. Il existe bien un joli texte de Georges Bernanos sur le sourire de Jésus le jour des Rameaux[11]. Mais un seul écrit, d'un laïc de surcroît, ne fait pas le printemps du christianisme.

Certes, les textes ecclésiastiques exaltent moins la souffrance désormais. Bien au contraire... Mais il faut le répéter, encore et encore, au risque de lasser : les mentalités religieuses n'évoluent pas en un jour, ni en un an, ni en une décennie, ni en plusieurs. L'idée que l'on se fait du christianisme encore moins. La preuve ? Cette déclaration de l'académicien Jean d'Ormesson, lors d'un débat, en 1995 : « Ce qu'aime le christianisme, j'ai le regret de vous le dire, ce sont les larmes. Le Christ ne rit pas, le Christ, je crois, sourit très peu. Le Bouddha sourit, le Christ ne sourit pas. Le Christ ne rit pas (...). Ce qui fait le christianisme, on peut le résumer dans une formule terrible, c'est le don des larmes[12]. »

Voilà. Tel est le constat. On ne peut évidemment s'y arrêter. Il faut tenter de comprendre. De retourner à la source de ce formidable malentendu.

Pour comprendre, il faut observer les images et les signes d'abord, parce que le monde fut longtemps peuplé d'une multitude d'illettrés. Les images (les fresques et les chapiteaux des églises médiévales par exemple) servirent donc longtemps, seules, à l'enseignement. Les images, en outre, révèlent les interprétations données aux faits, elles éclairent les mentalités en même temps qu'elles les créent, qu'elles les façonnent et les imprègnent. L'historien Jacques Le Goff l'explique parfaitement : « J'ai découvert qu'une société ne peut pas être bien approchée, comprise, expliquée, si l'on ne tient pas compte des images et des œuvres d'art qu'elle a produites (...). Les images sont apparues longtemps surtout comme une illustration. Cette conception de l'image est un contresens qui en masque la nature et la signification. L'image n'est pas une illustration. Elle est un document à part entière de l'histoire[13].» Les signes, en outre, jouent un rôle de reconnaissance mutuelle à l'intérieur d'un groupe, d'une société. Ils sont une sorte de code quand ces groupes sont contraints à la clandestinité, comme ce fut le cas de bien des premiers chrétiens.

Or, la croix n'est pas apparue immédiatement parmi les signes utilisés par ceux-ci. On s'est parfois trompé sur ce point, parce que la dernière lettre de l'alphabet sémitique est le *thav*, qui a la forme d'une croix (+ ou X) et fut utilisé par les Hébreux dès le VIIe siècle avant J.-C. Pour compliquer les choses, le *thav* est très vite devenu à leurs yeux comme une signature de Dieu, comme le signe d'une victoire (sur l'envahisseur romain, ou sur le mal grâce à Dieu), et il ressemblait au *thau* (T) des Grecs. Bien des Juifs, on l'a déjà dit, étaient «hellénisés», parlaient grec et non hébreu (il avait même fallu écrire pour eux une traduction grecque de la Bible, la Septante). Si bien que cette lettre en forme de croix connut un prodigieux destin bien avant notre ère. Elle n'évoquait pas d'abord le supplice de Jésus – qui n'était pas encore survenu – mais, comme l'écrit Frederick Tristan, «la gloire, la victoire, l'illumination et, plus encore, Dieu lui-même[14]».

D'autres symboles, qui évoquaient le Messie, tels que la palme, la couronne, la vigne et l'arbre de vie, ont été utilisés auparavant par les premiers chrétiens[15]. On connaît aussi le succès du poisson, souvent apparu sur les sarcophages des catacombes. C'est qu'à l'origine, des dauphins avaient été gravés sur des sarcophages païens. Le Romain Pline, dans son *Histoire naturelle*, décrit en effet le dauphin comme un valeureux sauveteur qui prend sur son dos le naufragé pour le ramener au rivage. Les chrétiens virent aisément en ce sympathique animal l'image du Christ, sauveur et passeur d'âmes par excellence. Ils s'avisèrent, en outre, que les lettres grecques du mot *icthus*, poisson, pouvaient être les initiales de «*I*esous *C*hristos *Th*eou *U*ios *S*oter» (Jésus Christ fils de Dieu Sauveur). Déjà pourtant, la croix apparaissait sous des formes dissimulées : mât de navire, ancre et aussi charrue (la charrue romaine était formée de deux ailerons fixés de chaque côté du sep, la pièce qui glisse sur le fond du sillon ; elle pouvait donc évoquer une croix et certains Pères de l'Église comparaient Jésus à un laboureur[16]).

Mais la Résurrection de Jésus, et la suivante, celle qui était annoncée et attendue pour la fin des temps, tenaient encore une place assez importante dans les signes utilisés. Ce fut plus sensible à partir du IIIe siècle, quand apparurent les images figuratives, dites anecdotiques. Bien entendu, il était difficile de représenter la Résurrection qu'aucun Évangile ne décrit, sauf Matthieu qui explique (18, 2) que « l'Ange du Seigneur », ayant roulé la pierre, provoqua une grave secousse dont furent victimes les gardes placés là à la demande de la caste des grands prêtres.

La première image de Jésus ressuscité, qui ne représente d'ailleurs pas l'événement lui-même, date de 586[17]. Puisqu'il était difficile de représenter la Résurrection, les chrétiens de l'époque s'étaient souvenus de Jonas, noyé, recueilli et avalé par un grand poisson à l'intérieur duquel il était demeuré trois jours et trois nuits et qui priait Dieu ainsi : « De la fosse tu as fait remonter ma vie, Adonaï, mon Dieu » (Jonas 2, 7). Il préfigurait donc le passage de Jésus de la mort à la résurrection. Et l'image de Jonas fut très employée.

Représenter Jésus lui-même était une autre affaire. Le judaïsme, on le sait, s'interdisait de montrer Dieu sous quelque forme que ce soit. Les Grecs n'avaient pas ces scrupules. On vit ainsi apparaître au IIIe siècle des Christ-Orphée, qui charmaient les animaux, des Christ-Hélios, puisque Jésus, comme le soleil, dispensait la lumière, et bien sûr des Christ-Apollon, imberbes, répondant aux canons de la beauté grecque. Ce qui provoqua de vifs débats : le texte d'Isaïe, « le

Serviteur souffrant», que nous avons déjà évoqué (pp. 20-21) et qui était considéré comme une préfiguration de l'histoire de Jésus, décrivait celui-ci «sans beauté ni éclat pour attirer nos regards, et sans apparence qui nous eût séduits» (Isaïe 53, 2). Des Pères de l'Église, comme Irénée, l'évêque de Lyon dont l'influence fut considérable, imaginaient que Jésus était laid de corps, mais très beau en esprit. Origène, théologien grec, rétorquait que, quand même, il n'était ni malingre ni difforme. Mais Tertullien, premier des écrivains chrétiens de langue latine, venait à la rescousse d'Irénée en indiquant que si Jésus avait eu un visage digne de sa divinité, il n'aurait pu être conspué, flagellé, crucifié. Un argument que reprit plus tard saint Augustin[18].

Ce débat n'est pas vain: on voit resurgir, avec force, l'image du Christ souffrant et apparemment vaincu. Diverses influences rivaliseront cependant. D'abord, chez certains Grecs, celle qui assimile le Christ à un philosophe. Or, le philosophe est barbu (signe de son autorité) et vêtu comme un ascète pour manifester son mépris du monde.

Une autre influence, à l'époque de Constantin, va représenter Jésus comme un empereur, trônant, gouvernant et enseignant. D'Égypte enfin arrive aussi l'image de l'ascète dont les yeux noirs et graves rappellent ceux que l'on peint sur les planchettes fixées à l'emplacement des orbites sur la tête des momies. Le développement des monastères, à cette époque, contribuera au succès de cette représentation.

Reste à expliquer le succès de la croix, alors qu'elle est en apparence le signe de l'échec, de la mort. Et que, comme l'a dit saint Paul, si le Christ n'est pas ressuscité, plus rien ne tient, plus rien n'a de sens. À nos yeux d'aujourd'hui, il existe donc une contradiction majeure: comment une religion tout entière fondée sur la foi en la Résurrection peut-elle utiliser comme symbole principal la croix, c'est-à-dire la mort? La croix qui était bien entendu un préalable.

Et dont le sens était considérable, nous y reviendrons, mais peu évident.

Cette question ne fut pas ignorée des chrétiens des temps anciens. À tel point que lorsqu'ils représentèrent – tardivement – le Christ en croix, ils le montrèrent les yeux grands ouverts, ils répugnèrent à les lui fermer comme on le fait aux morts. Il fallut, pour que l'on se résignât à le faire, attendre la fin du Xe siècle, et ce fut seulement sur quelques miniatures[19].

Alors, la croix ? Il faut ici rappeler le succès préalable du *thav* puis se référer aux travaux de Jean Daniélou[20]. Lequel, sur ce sujet, commence par citer un texte très ancien, un apocryphe (rappelons qu'à l'origine « apocryphe » ne signifie pas « faux » mais « caché »), l'Évangile dit « de Pierre ». Ce texte rapporte qu'au moment de la résurrection de Jésus, les gardes placés près du tombeau à la demande des grands prêtres « virent trois hommes sortir du tombeau : deux portaient l'autre et une croix les suivait. Et la tête des deux premiers atteignait le ciel, mais celle de celui qu'ils conduisaient dépassait les cieux. Et ils entendirent une voix qui venait des cieux. Elle disait : As-tu prêché aux dormants ? Et de la croix on entendit répondre : Oui. » (*Évangile de Pierre*, 39-42). Donc, la croix ressuscite, comme Jésus. Et elle parle, comme un homme. Elle parle pour lui, elle assure qu'il a (ou qu'elle a) dialogué avec les morts. Elle est vivante. Elle est associée à la gloire du Christ. Jean Daniélou, avec d'autres, l'appelle « la Croix de gloire ». Dans ce récit, elle quitte d'ailleurs ce monde avec le Christ.

Or, ce texte de l'*Évangile de Pierre* n'est pas isolé. On retrouve la croix de gloire, la croix animée, dans un autre manuscrit, *L'Apocalypse de Pierre*. Mais cette fois, elle marche devant : « Comme l'éclair qui apparaît de l'Orient jusqu'au couchant, ainsi je viendrai sur les nuées du ciel... dans ma gloire, tandis que ma croix ira devant ma face[21]. »

Parenthèse : comme le note Jean Daniélou, Jésus

est attendu « à l'Orient ». Un autre texte[22] évoque un certain Hipparque qui, chez lui, « devant l'image de la croix, le visage tourné vers l'Orient, priait chaque jour ». D'autres écrits allant dans le même sens, il semble que le crucifix ait d'abord marqué le mur oriental des habitations, d'où il a fait ensuite, peu à peu, son entrée dans toutes les pièces. Le signe de la croix, lui, a été introduit dans les pratiques chrétiennes, semble-t-il, par saint Basile, un Grec qui fut évêque de Césarée (la capitale que les Romains s'étaient bâtie en dehors de Jérusalem) et qui exerça une grande influence sur le développement de la vie monastique.

Fermons la parenthèse. La croix dont il est alors question est toujours la croix de gloire, de victoire. En témoigne encore, au VIe siècle, un texte de Venance Fortunat, évêque de Poitiers, poète à ses heures, gastronome aussi (il faut lire ses descriptions des repas que lui mijotait Radegonde, ex-reine devenue abbesse du monastère Sainte-Croix de cette ville, et dont l'Église fit une sainte). L'évêque-poète célèbre la croix en ces termes :

> Arbre splendide, éblouissant,
> orné de la pourpre royale,
> tronc choisi qui fus jugé digne
> de toucher des membres si saints
> (...)
> Salut, ô Croix, seule espérance !
> Procure, au temps de la Passion,
> Grâce abondante aux cœurs fidèles
> Et rémission aux cœurs coupables[23].

C'est toujours, c'est encore la croix de gloire. Et c'est aussi, c'est encore, le signe du *thav*, le signe de Dieu.

Au terme d'une longue démonstration, Jean Daniélou conclut : « Il peut donc être considéré comme certain que le signe de croix dont étaient marqués les premiers chrétiens désignait pour eux le nom du Seigneur (...) et signifiait qu'ils lui étaient consacrés. En milieu grec, cette symbolique devenait incompréhensible. C'est pourquoi la croix fut interprétée autrement. Sous la forme **+**, elle fut considérée comme une représentation de l'instrument du supplice de Jésus ; sous la forme **X**, elle fut prise pour la première lettre de Xristos. Mais l'idée fondamentale reste la même : il s'agit d'une consécration du baptisé au Christ[24]. » C'est énorme, mais ce n'est pas autre chose à l'origine.

Il faut ajouter que c'est seulement après la conversion de l'empereur Constantin (qui supprima les exécutions par crucifixion) qu'apparurent vraiment les croix. Les plus anciennes représentations de la croix que nous possédions datent du Ve siècle : l'une sur une porte, en bois, de la basilique Sainte-Sabine, à Rome ; l'autre sur une tablette d'ivoire gardée au British Museum. Mais dans les deux cas, le Christ ne paraît pas souffrir : il est vainqueur ou en prière. Les croix suivantes donnent la même image : sur certaines, il porte même la couronne royale. C'est de victoire qu'il s'agit.

L'Église d'Orient va trouver une autre solution. Pour montrer le Christ incarné, né et mort comme un homme, mais ressuscité, elle créera aux environs de l'an 800 des « cycles iconographiques », sortes de bandes dessinées où figurent à la fois l'Annonciation, la Nativité, la Crucifixion et la Résurrection (*anastasis*, en grec).

En Occident, les déviations vont ensuite se multiplier. Il n'est pas question d'en écrire ici toute l'histoire. Elle est marquée par de multiples succès de la croix, non la croix de gloire, mais celle de la mort, du supplice.

Ce sont les vicissitudes du monde qui expliquent cette évolution. Ainsi le XIVe siècle souffre, par séries, de pestes, famines et guerres. L'angoisse devant la mort, « envers d'une folle envie de vivre[25] », la peur du jugement de Dieu après la mort, hantent alors seigneurs et serfs, prêtres et laïcs. On met donc des croix et des Christ souffrants partout. C'est que des théologiens, alors nombreux, voient dans la souffrance le nécessaire chemin vers le salut, celui que Jésus a emprunté. Le Christ de douleur, les Pietà ou Vierges de douleur retiennent du récit de la Passion non la victoire sur la mort mais la descente au fond du drame.

Au siècle précédent, sur les tombeaux, les visages des gisants respiraient la sérénité. Désormais, leur bouche est ouverte comme pour crier l'angoisse, leurs cadavres sont hideux et décharnés.

Les nouveaux ordres religieux (franciscains, dominicains, augustins) et les innombrables confréries de laïcs qui foisonnent dans les métiers, les quartiers ou les paroisses (en 1423, la ville de Lille, à elle seule, en compte une quarantaine) ne cessent de prêcher la pénitence, la préparation à la mort, et de mettre en scène la montée au calvaire. On aménage des chemins de croix. Les peintres représentent Jésus attendant le sacrifice, après la flagellation. Sur les crucifix, le Christ présente un visage défait, un thorax inondé de sang. On répand partout la dévotion aux cinq plaies rouges du crucifié. Les flagellants font procession dans les rues étroites des villes, les prédicateurs gesticulent, évoquent la mort et ses souffrances, les maux affreux qui attendent le pécheur, devant les foules d'auditeurs passionnés, bouleversés. Comme ce frère Richard, un franciscain, qui, vers 1429, battait des records d'homélies, prêchant « jusqu'entre dix et onze heures (...) du haut d'une estrade (...) le dos tourné au charnier[26] ».

Le gothique, dans sa dernière période, fera lui aussi de la souffrance du crucifié son thème central. Ainsi, l'Allemand Matthias Grünewald, à la veille de la Réforme, au tout début du XVIe siècle, montrera-t-il Jésus en proie à d'insupportables souffrances, ses doigts convulsés et déformés, le corps distordu, tout de plaies ouvertes, la tête abattue, lacérée par des épines, les lèvres figées. Comme les malades, qui le regardaient, entassés derrière les gros barreaux de métal qui les séparaient du monde, au monastère alsacien d'Issenheim. Comme ces malades qui, dès lors, on veut l'espérer, se sentaient moins rejetés. Se jugeaient peut-être abandonnés comme lui, sauf par lui. D'autant que le retable d'Issenheim comporte aussi une belle résurrection. Mais de ce panneau-ci, et de façon significative, on parle moins.

L'Église du XIIIe siècle avait été dominée par les intellectuels, qui insistaient sur la sagesse et l'enseignement du Christ et le montraient comme un docteur au portail des cathédrales. Les laïcs et les prédicateurs des siècles suivants le veulent plus humain. La foi en l'Incarnation y gagne. Or, quoi de plus humain que la souffrance, l'effondrement de l'agonie ? Et Dieu, en Jésus crucifié, compatit, c'est-à-dire « souffre avec », partage la souffrance de l'homme en proie au malheur, au tragique de l'existence. L'homme peut y trouver quelque réconfort. Mais à trop insister sur la nuit du vendredi, on oublie l'aurore du dimanche pascal. Et l'on déforme le message.

Un mystique comme Maître Eckhart, né en Thuringe, mais qui parcourut l'Europe, et dont on disait que Dieu ne lui avait « rien caché », qui est aujourd'hui considéré comme une grande figure du christianisme mais fut condamné par la hiérarchie catholique (« Il a voulu en savoir plus qu'il ne convenait », dit le préambule de la bulle de condamnation...), ce mystique, donc, écrit alors : « Notre-Seigneur dit : "Je suis avec l'homme dans sa souffrance." Saint Bernard dit à ce sujet : "Seigneur, si tu es avec moi dans la souffrance, fais-moi souffrir en tout temps pour que tu sois en tout temps près de moi, pour que je te possède en tout temps." » Plus loin, Eckhart reprend : « Si nous étions tels que nous devons être, la souffrance ne serait pas pour nous une souffrance, ce serait pour nous joie et consolation[27]. »

Les temps changent, le monde va, les spiritualités évoluent. Mais l'image du supplicié l'a emporté sur celle du ressuscité. La croix est partout. « Dieu a tracé le signe de la croix sur toute chose », écrivait Justin, que nous avons déjà rencontré. Et il est possible de donner à cette croix des multiples sens : elle peut être le centre du monde, embrasser tout l'univers de l'est à l'ouest et du sud au nord, monter du très bas vers le très haut, rassembler, relier, réconcilier, ouvrir les cieux. On peut aussi rappeler que la joie de Pâques n'était pas possible sans la croix[28]. Le père François Varillon, jésuite, rappelait également avec insistance, par un apparent paradoxe (sur lequel nous reviendrons), que « la Toute-Impuissance du Calvaire révèle la vraie nature de la Toute-Puissance de Dieu, de l'Être éternel et infini ». Il ajoutait : « C'est la mort du Christ qui révèle en plénitude la Gloire de Dieu, cette Gloire qui est identiquement l'Amour comme Puissance d'anéantissement de soi[29]. »

Ah, comme il a raison ! Mais qui le sait ? Qui comprend ainsi la croix ? La croix de gloire est devenue symbole de souffrance, de malheur et de mort. Jésus a prêché la joie. Et sa croix peuple les cimetières, et ce qui fait le christianisme, aux yeux de beaucoup, c'est le don des larmes.

Si l'on me permet de reprendre une comparaison utilisée au chapitre précédent, celle de la « boîte à outils intellectuels », cette histoire, évoquée à grands traits, rapides, en fournit une illustration malheureusement éloquente : ce qui avait un sens pour les hommes des premiers siècles n'a plus le même sens aujourd'hui. Il arrive que des signes trahissent le message qu'ils veulent porter. On ne peut pas parler aux hommes du troisième millénaire avec les signes et les mots des premiers temps.

CHAPITRE III

Croire en un Dieu fait homme, quelle histoire !

Les bibliothèques municipales se sont mises au goût du jour, enrichies de cassettes vidéo, de collections de revues et de journaux. Elles ont ensuite, logiquement, pris le nom de médiathèques. C'est donc dans une médiathèque de la grande banlieue parisienne que je me trouvais, ce samedi-là, pour parler de Jésus, en compagnie de plusieurs centaines de personnes de tous bords et de tous âges. Et soudain, deux jeunes garçons se sont levés, d'origine maghrébine à ce qu'il semblait, musulmans à ce qu'ils dirent, très à l'aise en tout cas avec leurs casquettes américaines vissées sur le crâne, la visière rejetée vers l'arrière comme il est de mode aujourd'hui. « Mais, monsieur, me dirent-ils, un homme ne peut pas être Dieu, un Dieu ne peut pas être homme. »

Nous étions au cœur du problème posé à la foi des chrétiens. J'ajouterai : et au reste de l'humanité. Car des milliards d'hommes croient en la divinité, en un dieu. Bien peu, en revanche, croient qu'un dieu ait été incarné, ait accepté la condition humaine dans tous ses registres (psychologique, intellectuel, social, sentimental, etc.) y compris dans ce qu'elle a de plus bas. Osons le dire : Jésus, lui aussi, devait satisfaire des besoins naturels.

Tout au long des siècles, et avec des fortunes diverses, les Églises chrétiennes ont dû batailler ferme pour maintenir dans leur doctrine, dans l'expression de leur foi, que Jésus était tout à la fois homme et

Dieu. Elles y sont parvenues, en théorie. Elles l'ont même marqué, longtemps, dans la liturgie du rite catholique romain : le seul moment où le prêtre, pendant la récitation du Credo, devait s'agenouiller était celui où il disait : *et incarnatus est, ex Maria Virgine, et homo factus est* (et il s'est incarné par l'intermédiaire de la Vierge Marie et il s'est fait homme). Le père jésuite John W. O'Malley note que la phrase suivante – *crucifixus etiam pro nobis* (et il a été crucifié pour nous) – « venait ensuite presque comme une conséquence, un corollaire, que l'assemblée prononçait une fois que chacun s'était relevé ». Autrement dit, dans l'expression du Credo, l'Incarnation passait avant la Croix[1].

Dans bien des esprits, chez les chrétiens d'aujourd'hui, elle passe après. Souvent, on insiste davantage sur la divinité de Jésus que sur son humanité, sans prendre garde que son humanité en dit long, dit même l'essentiel, sur Dieu lui-même. Sur l'identité de Dieu. Le Dieu de Jésus, c'est par l'Incarnation que l'on peut le mieux le comprendre – dans la mesure où l'on peut le comprendre.

Or, ce qu'on appelle le docétisme (du grec *docesis*, apparence ; une doctrine selon laquelle le corps du Christ n'avait été que pure apparence, que le fils de Dieu avait en quelque sorte revêtu un costume humain, s'était déguisé en homme), le docétisme, donc, imprègne subtilement la foi de beaucoup, aujourd'hui encore. J'ose le répéter, des centaines de lettres, des dizaines de débats me l'ont appris ou confirmé : bien des chrétiens croient plus en la divinité de Jésus qu'en son humanité. Ou encore, ils ne tirent pas de celle-ci toutes les conséquences.

Admettre que Jésus est un homme et qu'il est Dieu n'est certes pas facile. « C'est vrai parce que c'est impossible[2] », disait Tertullien. Belle formule, mais seulement une formule. « Songeons (...) que l'Évangile est plein de paradoxes, que l'homme est lui-même un paradoxe vivant et que, au dire des Pères de l'Église, l'Incarnation est le Paradoxe suprême, *Paradoxos paradoxon*», écrivait, quand il était au mieux de sa forme, le théologien Henri de Lubac, qui eût dû songer à traduire les deux derniers mots de cette note : *Paradoxos paradoxon*, le Paradoxe des paradoxes[3].

Ce n'est pas le sentiment d'Eugen Drewermann. Toujours soucieux de montrer que le christianisme a trouvé de multiples sources dans les religions anciennes, ce théologien allemand en graves difficultés avec la hiérarchie catholique écrit : « Avec la doctrine de la filiation divine du Sauveur, le christianisme renoue, en vérité, avec des représentations "païennes" extrêmement répandues[4]. » Mais il faut répéter ce qu'écrivait le philosophe Emmanuel Levinas (voir ci-dessus p. 16) : « L'apparition d'hommes-dieux, partageant les passions et les joies des hommes purement hommes, est certes le fait banal des poèmes païens. Mais dans le paganisme, au prix de cette manifestation, les dieux perdent leur divinité. » À quoi l'on peut ajouter que les dieux « païens », s'ils partagent les passions et les joies des hommes, n'acceptent pas, d'ordinaire, à la différence du Jésus des Évangiles, les rebuffades, les humiliations, la souffrance et la mort.

Que Jésus ait toujours été vrai Dieu et fût en même temps vrai homme, semble avoir été difficile à admettre d'abord pour ses compagnons. Quand, le jour de la Pentecôte, Pierre s'adresse à la foule cosmopolite qui séjourne à Jérusalem, il dit, selon les Actes des Apôtres, que ce Jésus que l'on vient d'exécuter, « Dieu l'a ressuscité ». Et il conclut : « Que toute la maison d'Israël le sache donc avec certitude : Dieu l'a fait Seigneur et Christ, ce Jésus que vous, vous avez crucifié » (Actes 2, 14-36).

Ainsi, Pierre, tout exalté par la joie pascale, parlant au nom de tous ses compagnons, n'identifie pas clairement Jésus à Dieu. Pour lui, à ce stade de sa réflexion, pas de doute, Jésus est bien « Seigneur et Christ » (ou Messie dans certaines traductions) mais c'est Dieu qui « l'a fait » ainsi. Il ne l'était donc pas originellement. C'est un homme qui a été divinisé.

Pierre utilise encore une fois les outils intellectuels dont il dispose. Ils sont d'origine juive, ce qui est normal. Un Juif de l'époque s'imagine aisément qu'un homme soit établi fils de Dieu : à l'instant de son intronisation, le roi d'Israël était établi « Fils de Dieu ». En somme, Dieu a fait de même pour Jésus, lui conférant rang suprême et pouvoirs. Le terme « fils de Dieu » n'a pas alors la portée que lui donneront les siècles suivants. De la même manière, Paul écrira dans le Prologue de l'épître aux Romains (datée de la fin des années cinquante, donc assez proche des événements) que Jésus a été « *établi* Fils de Dieu avec puissance selon l'Esprit de sainteté, *par* sa résurrection des morts (1, 4) ».

C'est bien entendu moi qui souligne. On peut ergoter sur le sens du mot « établi ». Mais on est évidemment encore loin du Credo du Concile de Nicée où, en 325, Jésus sera défini comme « de même nature que le Père », Fils de Dieu pleinement égal à Dieu lui-même[5].

On est loin, aussi, de l'Évangile de Jean. Les premiers mots de cet Évangile disent en effet :

> Au *commencement* était le Verbe
> et le Verbe était avec Dieu
> et le Verbe *était* Dieu (Jean 1, 1).

Voilà qui est clair. Même si certains spécialistes se sont interrogés sur l'identité exacte du « Verbe » (*logos*, en grec) dont parle Jean, ce texte signifie qu'il y a au moins deux personnes en Dieu. Et le verset 14 du même chapitre précise que « le Verbe s'est fait chair ». C'est donc bien de Jésus qu'il s'agit. L'homme Jésus, affirme Jean, était à la fois Dieu et *avec* Dieu dès le commencement. C'est l'Incarnation qui est ici très clairement affirmée par Jean.

C'est Jean aussi, et lui seul, qui cite ce dialogue

entre Philippe et Jésus, au soir de la dernière Cène. L'apôtre demande : « Seigneur, montre-nous le Père et cela nous suffit. » Et Jésus répond : « Qui m'a vu a vu le Père. (...) Je suis dans le Père et le Père est en moi » (Jean 14, 8-10). Cette réponse fonde le christianisme.

L'Évangile de Jean, on le sait, date, dans la version dont nous disposons aujourd'hui, des environs de l'année 100, et il a été précédé d'autres versions (deux, pense-t-on généralement). Il est impossible de savoir si les propos qui viennent d'être cités, et qui sont bien plus formels que ceux de Pierre à propos de l'Incarnation, figuraient dans les premières versions.

Reste que dans aucun texte précédent connu de nous n'est affirmé avec autant de force que Jésus était Dieu de toute éternité, qu'il n'a pas été fait Dieu mais que Dieu, il s'est fait homme.

Cette idée avait-elle quelque source dans le passé ? Il ne le semble pas. Il existait bien une tradition juive, relatée dans le *Livre des Paraboles d'Hénoch* (Hénoch était le père de Mathusalem), évoquant le Fils de l'Homme (terme que l'on retrouve dans les Évangiles) de cette manière : « Avant que le Soleil et les Signes fussent créés, avant que les étoiles du ciel fussent formées, son nom fut nommé devant le Seigneur des Esprits... Et c'est pour cela qu'il a été élu et caché devant lui avant la création du monde et pour l'éternité » (48, 3-6). De même, dans plusieurs autres passages de la Bible (Genèse, Psaumes, etc.) voit-on la Parole (le Verbe) agir comme une messagère, une curieuse messagère, qui est à la fois Dieu lui-même et une personne qui accomplit les actions voulues par Dieu. Et dans le livre biblique de l'Exode, Dieu paraît si humain qu'il parle à Moïse « d'homme à homme » ou « comme à son compagnon » selon les traductions (Exode 33, 11).

Par ailleurs, il existait aussi chez certains Grecs – et l'auteur de l'Évangile de Jean est imprégné de la pensée grecque[6] – l'opinion que l'Idée, avec un grand I, la Parole, le Verbe, le Logos si l'on veut, est créateur. Mais l'Incarnation, telle que la définit Jean, n'a pas de source. C'est une vision inédite de Dieu.

Paul lui-même, si l'on en juge par l'épître aux Colossiens, datée du début des années soixante (et qui est peut-être due à l'un de ses proches), a suivi un chemin parallèle, sans aller aussi loin. Les Colossiens (en Asie Mineure, au nord-est d'Éphèse) s'étaient mis à croire en l'intervention d'esprits intermédiaires entre Dieu et la création, esprits qui présidaient aux événements du monde. Et Paul leur fait la leçon, leur écrit en un très beau texte que tout cela ne signifie rien, que seul compte Jésus, « l'image du Dieu invisible, premier-né de toute créature, car c'est pour lui qu'ont été faites toutes ces choses, dans les cieux et sur la terre, les visibles et les invisibles » (1, 15-16). On notera que Paul, s'il s'est engagé dans la même direction que l'auteur de l'Évangile de Jean, s'est arrêté à mi-chemin puisque Jésus pour lui était une « créature ». La première, certes, « pour qui ont été créées toutes choses », mais une créature. Et cette idée va persister.

En effet, la foi en Jésus comme Dieu fait homme et non comme homme devenu Dieu par la suite se heurtait violemment à la pensée grecque. La philosophie des Grecs fut son premier et son pire adversaire.

Car le christianisme primitif se développe assez rapidement hors de Palestine dans le monde grec, ou influencé par les Grecs, notamment dans les villes dites hellénistiques des bords de la Méditerranée. Ces villes sont prospères, pacifiques, et atteignent, comme on dit, un haut degré de civilisation. Pline le Jeune, légat impérial au début du IIe siècle aux environs de Nicée (aujourd'hui Iznik, en Turquie, au bord d'un lac tranquille), écrit que le christianisme « s'étend non seulement aux villes, mais aussi aux villages et à la campagne » (*Lettres* X, 96, 9). D'où l'on peut évidemment déduire qu'il a commencé par s'installer dans les villes alors qu'en Palestine le mouvement de Jésus était, à l'époque de celui-ci, rural. Dans ces villes, Paul et les autres missionnaires chrétiens vont convertir aussi bien des dockers que des artisans ou des bouchers. Mais tous ceux, ou presque, que Paul cite dans ses lettres et que l'on peut situer socialement appartiennent aux classes dirigeantes, donc cultivées[7]. L'idée d'une communauté chrétienne pauvre et persécutée est très schématique. La réalité est bien plus complexe.

Et que trouve-t-on dans la culture grecque du temps ? Un peu de tout. Des choses anciennes et d'autres qui le sont moins. Parmi les choses anciennes, par exemple, la distinction entre le monde chthonien, celui des divinités souterraines, guère sympathiques, et le monde ouranien, celui du ciel, du dieu Ouranos (qui passe par de rudes épreuves, son fils Cronos lui tranchant les testicules avec une faucille). Le monde du ciel est quand même le meilleur puisque le sang d'Ouranos fécondera la terre.

Pour les Juifs également, le ciel était résidence divine et les profondeurs de la terre plutôt infernales. Une vision verticale des rapports de l'homme et de Dieu s'inscrit donc naturellement dans les esprits, et les imprègne encore aujourd'hui.

Un étrange texte judéo-chrétien des premiers siècles, *L'Ascension d'Isaïe*, raconte même que Jésus descend d'abord du septième ciel au sixième. Là, les anges l'adorent, car il a gardé son aspect premier ; il décide alors de se déguiser en ange pour passer inaperçu au cinquième, puis réussit à donner « le mot de passe » à l'entrée du troisième ciel, gardée par des portiers ou douaniers méfiants. Il entre ainsi dans le monde des anges déchus, dont il prend aussi l'aspect, avant d'arriver sur la terre, au dernier degré donc, chez les hommes, nous[8].

Si les gens de cette époque avaient pu lire les propos de Péguy suivant lesquels la terre, en « accueillant »

Jésus, avait « enfanté Dieu »[9], ils n'auraient pas été scandalisés, ils n'y auraient rien compris. Il en va peut-être de même pour bien des gens d'aujourd'hui.

L'opposition terre-ciel, que l'on retrouve dans nombre de religions primitives, était en effet promise à un bel avenir. Elle imprègne encore, je le répète, les mentalités, les prières et les rites.

On ne peut rejeter avec mépris, considérer comme surannée l'opposition entre le haut et le bas, pas plus que l'opposition entre le clair et l'obscur, le large et l'étroit : il s'agit de symboles fondamentaux qui facilitent l'expression esthétique et éthique. Mais l'image « terre-ciel » ne facilite pas la compréhension et l'acceptation de l'Incarnation avec toutes ses conséquences.

Revenons aux Grecs des premiers siècles. Leurs dieux, livrés à leurs propres passions, ne s'intéressent guère aux humains (sauf, parfois, aux belles mortelles). Ils n'entendent pas leurs prières, ni leurs appels. Dans l'Olympe, dit un de leurs hymnes, les Muses célèbrent « les dieux immortels » guère soucieux des humains qui « vivent irréfléchis et désemparés et ne peuvent échapper à la vieillesse et remédier à la mort[10] ».

Les grands philosophes grecs, de la même manière, ont répandu l'idée que la divinité est lointaine. Pour Platon, quatre siècles avant Jésus-Christ, la matière est mauvaise, un abîme la sépare du monde des Idées, notamment de l'Idée du bien. Pour Aristote, qui vint ensuite et se sépara de Platon sur de nombreux points, la divinité, de toute éternité, vit parallèlement au monde, ne s'intéresse en somme qu'à elle-même. Pour Plotin, disciple de Platon, le monde, échappé à la divinité, est une déchéance ; la matière est le mal et l'homme doit s'en délivrer. Pour les stoïciens, enfin, l'homme est seulement esprit ; il doit s'affranchir de son corps et des biens terrestres, se replier sur lui-même et trouver, dans la maladie, l'exil, la pauvreté aussi bien que dans la richesse et les honneurs, une occasion de prouver sa force morale, sa liberté individuelle.

L'héritage grec, donc, se résume ainsi : la divinité est impassible, immobile et immuable ; le monde est mauvais, le sage doit le mépriser ; l'homme ne forme pas une unité[11].

Il y a loin, d'évidence, entre ces conceptions et la vision chrétienne d'un Dieu vivant, qui aime et qui souffre, qui méprise si peu le monde et la matière qu'il s'incarne et possède un vrai corps. Or, cette mentalité grecque, les premiers penseurs du christianisme vont la combattre mais s'en inspirer aussi. C'est le cas de saint Paul, souvent aux prises avec les stoïciens, qui cite même un de leurs poètes, Aratos (IIIe siècle avant Jésus-Christ) si l'on en croit les Actes des Apôtres[12]. Un certain mépris de la chair, sensible dans l'enseignement de Paul, est le fruit de son dialogue avec les Grecs. Car il dialogue en utilisant, si l'on peut dire, le principe du judo. Un judoka est peut-être plus faible que son adversaire, mais toute l'astuce consiste à utiliser la force de celui-ci pour la retourner contre lui. Paul, de la même manière, entre dans la pensée de ses interlocuteurs pour les attirer vers la sienne. Ce qui est évidemment très habile. Le risque dans ce cas c'est d'être quelque peu « contaminé » (j'utilise ce mot avec précaution, craignant qu'il soit compris dans un sens péjoratif) par la pensée de l'adversaire. Et c'est un risque considérable[13]. Ainsi, Paul, pessimiste comme un Grec, pense que l'homme est porté au péché, indigne du salut s'il n'obtient la grâce de Dieu.

D'autres ont suivi un chemin différent. Par exemple Justin, le philosophe que nous avons déjà rencontré dialoguant avec le rabbin Tryphon. À l'en croire, il se serait confié successivement à tous les maîtres possibles – stoïciens, péripatéticiens (rien à voir, comme on le sait, avec les dames qui portent ce nom ; il s'agit des disciples d'Aristote, appelés ainsi parce que celui-ci enseignait en marchant) – avant de s'en remettre à Platon et, enfin, de se convertir au christianisme. De ce long parcours, la pensée de Justin a gardé des traces[14]. Il va d'ailleurs utiliser lui aussi le système de Paul, faire du judo intellectuel, aller plus loin encore, pour expliquer aux Grecs que bien des faits de la vie de Jésus étaient préfigurés dans leur vision des dieux, qu'il est né d'une vierge comme Persée, qu'il a guéri des boiteux comme Asclépios, et ainsi de suite[15]. Autrement dit : ce que nous vous annonçons n'est pas tellement extravagant pour vous, donc vous pouvez nous croire. En somme, Justin essaye de faire entrer le christianisme dans le « politiquement correct » ou plutôt le « philosophiquement correct » grec. Du coup, le christianisme va s'exprimer dans les catégories philosophiques grecques, avec les images grecques. Pour le meilleur parfois. Mais pas toujours, loin de là. Surtout en ce qui concerne l'Incarnation.

Mon intention n'est pas de décrire ici toutes les vicissitudes et les enrichissements de la pensée chrétienne concernant l'Incarnation : il faudrait écrire toute l'histoire des Églises chrétiennes et des mentalités religieuses. Un livre entier n'y suffirait évidemment pas.

Il faut pourtant s'attarder encore un peu sur les premiers siècles, le temps du christianisme naissant. Ceux qui, alors, se réfèrent à Jésus, qui essayent de se l'expliquer et de l'expliquer aux autres, explorent des chemins nouveaux, non balisés, partent donc dans toutes les directions. C'est un embrouillamini, un foisonnement de théories, dont la plupart seront ensuite qualifiées d'hérésies. Mais les hérésies laissent des traces, de longues et profondes traces, y compris, parfois, dans la doctrine officielle qui sera érigée en dogmes, et bien entendu dans les mentalités. Il convient de signaler quelques-unes d'entre elles.

Voici, au premier rang, Marcion. Ce fils d'évêque est né, vers la fin du Ier siècle, quelque part dans l'actuelle Turquie, au bord de la mer Noire, à Sinope.

Pour lui, le monde est mauvais, la matière est mauvaise, Jésus n'est pas réellement né d'une femme (il l'a « traversée » comme l'eau passe par un tuyau), ce qu'il y a d'humain en lui est nécessairement mauvais ; donc il n'est pas vraiment humain. D'ailleurs, il ne s'est pas marié et n'a pas eu de descendance. Il faut donc prôner la virginité et la continence[16].

On range généralement Marcion parmi les « gnostiques ». Il est difficile de définir le gnosticisme. Bien des spécialistes ne s'y hasardent pas, tant ce terme recouvre de philosophies diverses. Résumons : on regroupe sous cette étiquette des sectes chrétiennes qui croyaient en une distinction radicale entre l'âme et le corps (c'est ce qu'on appelle le « dualisme »), le corps, la matière étant considérés comme méprisables ou soumis aux forces du mal. Pour les gnostiques, l'homme ne pouvait se sauver qu'en se libérant de la matière et en accédant ainsi à une connaissance suprême des choses divines (le grec *gnôstikos* signifie « qui sait »).

Ces gnostiques sont aussi nombreux que divers. Simon le Magicien écrit ainsi que Jésus, après s'être déguisé en ange, « se montre également parmi les hommes comme un homme, quoique n'étant pas homme, et qu'il parut souffrir en Judée, sans souffrir réellement[17] ».

Des évêques comme Irénée de Lyon luttent vigoureusement contre les gnostiques. D'autres Pères de l'Église, comme Clément d'Alexandrie, seront moins combatifs, ou même accuseront leurs adversaires gnostiques de ce que, par ailleurs, ils professent eux-mêmes[18]. Autrement dit, les idées gnostiques se répandent, ouvertement ou discrètement. Et les gnostiques auront des héritiers, plus ou moins avoués, au long des siècles, jusqu'à nos jours.

Dans les premiers temps, on doit évoquer surtout un certain Mani, qui avait vécu avec son père au sein d'un groupe d'ascètes plus ou moins inspirés de Jean-Baptiste et séjournant dans l'Iran actuel. Ces gens s'abstiennent de vin, de viande et de toute relation sexuelle. Mani en fait autant, finit par rompre avec eux, voyage beaucoup pour annoncer, avec succès, ce qu'il appelle son « Évangile ». La thèse est totalement dualiste. C'est l'affirmation des « deux principes » (Esprit et Matière, Bien et Mal). Ces idées sont noyées dans un méli-mélo de christianisme et de religions perses ou asiatiques. Mani, mort martyr, aura de nombreux disciples, des missionnaires ascétiques. Parmi ces manichéens figurera notamment, un bon siècle plus tard, mais pendant neuf ans, un des plus grands penseurs de l'Église latine, saint Augustin.

Et puis voici Arius. Un phénomène celui-là, un tribun qui ira, pour diffuser sa doctrine, jusqu'à composer des chansons populaires reprises en chœur, paraît-il, par les dockers de la Méditerranée. Ses disciples ont des atouts supplémentaires : leur morale est peu contraignante. Ils ne nient pas l'humanité de Jésus, eux, mais sa divinité : si Jésus est le fils de Dieu, disent-ils, il ne peut avoir existé de toute éternité, il ne peut donc être Dieu lui-même. Constantin, empereur romain d'Orient, qui s'est converti au christianisme, juge que cette affaire « ne mérite pas tant de discussion » (!) mais constate qu'elle provoque des désordres ; il convoque, pour y mettre un terme, le Concile de Nicée, auquel le pape lui-même n'assistera pas (à la différence de Constantin) et qui édicte en 325 le Credo que les fidèles connaissent encore : le Christ y est qualifié de « vrai Dieu de vrai Dieu, engendré, non pas créé, consubstantiel au Père ». Arius et les siens sont excommuniés, de même que deux évêques qui avaient refusé de voter le texte. Constantin, qui a mené toute l'affaire, offre pour finir un somptueux banquet aux pères conciliaires, si somptueux que certains, à en croire l'historien – l'évêque Eusèbe de Césarée –, se demandent « s'ils ne sont pas déjà dans le Royaume des cieux[19] ». Pour autant, l'Église n'en a pas fini avec l'arianisme[20].

Le débat va rebondir sur un autre terrain. Voilà en

effet qu'un prêtre de Constantinople appelle Marie, dans un de ses sermons, « la mère de Dieu ». Du coup, il se fait houspiller par son évêque, Nestorius, qui le traite d'impie. Pour Nestorius, Dieu est entré dans la peau d'un homme, Jésus, mais Dieu ne s'est pas fait homme, il n'a pas été « porté dans le sein, allaité, langé ». Donc, le terme de « mère de Dieu » est impropre. L'évêque d'Alexandrie, Cyrille, entend parler de cette histoire bien que la mer les sépare. Et il s'en prend à Nestorius. Voilà deux évêques en dispute sur une question fondamentale. Du coup, toute la Méditerranée s'embrase, de Rome à Antioche. Une vraie bataille théologique : l'Église d'Occident, Rome, penchant pour Cyrille, donc pour l'Incarnation, et celle d'Orient, Antioche, pour Nestorius. On ne se fait pas de cadeaux. Un texte de l'Église d'Orient, appelé l'édit de Thessalonique, affirme par exemple, à propos du camp opposé : « Dieu se vengera d'eux, et nous aussi[21]. » Voyez comme ils s'aiment.

Revenons au débat, qui est capital. On tient des conciles. Retenons celui d'Éphèse, en 431. Pour deux raisons. D'abord celle qui nous concerne ici : c'est Cyrille qui l'emporte. On décide qu'en Jésus existent à la fois humanité et divinité, qu'il est, comme homme et Dieu, une seule personne. Une décision évidemment capitale.

Le même concile accorde aussi à Marie le titre de « mère de Dieu ». Ce qui entraînera des conséquences considérables pour le christianisme.

Le Concile d'Éphèse s'est déroulé dans un climat épouvantable : bagarres de rues menées par des moines aux mœurs de brigands, distributions d'or et de cadeaux divers pour influencer les votes, Cyrille étant un champion des pots-de-vin. Ce qui n'empêche pas les membres du concile de prétendre qu'ils constituent une assemblée « très sainte »... À quoi ils ajoutent que c'est Jésus-Christ lui-même qui s'exprime par leur bouche... Autrement dit, faites silence dans les rangs puisque Dieu a parlé.

Les hiérarques de l'Église utiliseront souvent, de manière plus ou moins directe, le même procédé. Ce qui ne leur garantira pas toujours d'être entendus. Le Concile d'Éphèse en est un bon exemple. Il n'a pas tout réglé. Les disputes continuent. Ce ne sont pas seulement les théologies qui s'affrontent, mais des mentalités, des spiritualités. À cette époque, se sont multipliés les ermites (du grec *erêmos* : désert), des fous de Dieu, admirables par certains côtés, qui accumulent les prouesses les plus extravagantes, tentent de battre des records d'ascétisme comme s'ils participaient à des Jeux olympiques de la sainteté. Les ermites considèrent qu'on ne peut à la fois aimer Dieu et le monde. Ils répandent le mépris du monde, de la chair, et bien entendu des femmes. Les femmes sont les premières victimes du refus de l'Incarnation.

Chrysostome qui sera canonisé, déclaré « saint », fils unique d'un officier supérieur, devenu ermite puis patriarche et défenseur des pauvres, décrit ainsi les épouses, à la fin du IVe siècle : « femme méchante, médisante, bavarde et, ce qui est le vice commun à toutes, dépensière, et remplie de toutes sortes de défauts[22] ». Jérôme (qui sera canonisé aussi...), secrétaire du pape Damase, écrit que l'Église « ne condamne pas le mariage, elle le subordonne ; elle ne le rejette pas, elle le met à sa place, sachant (...) que les uns (les vierges) sont voués à l'honneur, les autres au mépris[23] ». Bien entendu, Jérôme est un pamphlétaire énervé mais, dans ces exagérations, il n'est que l'interprète d'un courant pour qui tout ce qui est de la terre, de la matière, du corps, est méprisable, un courant qui ne peut évidemment admettre tout à fait que Dieu ait accepté de devenir un homme de chair et de sang.

Outre les spiritualités, ce sont aussi des pouvoirs politiques qui s'affrontent : l'Occident et l'Orient. L'Occident ne se porte pas très bien : les invasions « barbares » mettent à mal l'Empire romain. Si bien que les évêques d'Occident ne peuvent se rendre au Concile qui se tient au milieu du Ve siècle à Chalcédoine, en face de Constantinople, de l'autre côté du Bosphore. Les Orientaux régneront donc en maîtres. À cette nuance près, qui est de taille : le pape de Rome a réussi à envoyer deux représentants, deux légats, qui exercent une sorte de chantage permanent sur le thème : si vous ne nous écoutez pas, nous convoquerons un autre concile, à Rome. Ce ne sera pas nécessaire : les Orientaux condamnent le monophysisme, doctrine selon laquelle les deux natures du Christ (humaine et divine) sont tellement unies que la nature divine l'emporte, efface l'autre. Ils mettent au point un texte suivant lequel Jésus est de même nature que le Père et de même nature que l'homme, « en tout semblable à nous hormis le péché », véritablement homme et véritablement Dieu, « la différence des natures n'étant aucunement supprimée par l'union ». Comme l'écrit le père Joseph Moingt, « ce vénérable texte sera pour les siècles futurs la charte de la théologie de l'Incarnation[24] ». Un texte fondateur donc.

On peut considérer comme miraculeux le fait que de tels textes, essentiels, celui de Chalcédoine comme celui d'Éphèse, aient été le fruit de telles batailles. Mais on n'en a pas tiré toutes les conséquences. Les théologiens eux-mêmes, au long des siècles, ont souvent été tentés de s'intéresser davantage au « sacrifice de la Croix » comme instrument du salut des hommes, qu'à l'Incarnation[25].

Sur l'Incarnation, il existe un très beau texte, un très beau sermon dont voici un extrait : « Il (Jésus) s'est fait homme, lui qui créa l'homme. Il suça le lait, lui qui régit les astres. Lui, le pain, il eut faim. Source, il eut soif. Lumière, il dormit. Voie, il fut harassé sur le chemin. Vérité, il fut accusé par de faux témoins. »

C'est un sermon de saint Augustin[26], le célèbre évêque d'Hippone (aujourd'hui Annaba, ex-Bône), en Afrique. Le paradoxe, c'est que l'auteur d'un texte si évocateur ait beaucoup contribué, bien que sa pensée fût très complexe, à miner la foi en l'Incarnation et en toutes ses conséquences.

Le grand théologien était marqué par ses origines manichéennes, et il assistait à l'effondrement de l'Empire romain d'Occident, un désastre historique qui prenait des allures d'apocalypse. Sa pensée, je le répète, est complexe. Mais dans son grand livre *La Cité de Dieu*, il considéra l'histoire entière comme le face-à-face de deux sociétés ennemies, la Cité céleste et la Cité terrestre. Pour lui, « le monde terrestre est sans consistance et provisoire : la seule réalité digne de nos efforts est la réalité éternelle, la Jérusalem céleste[27] ». À la suite de saint Augustin, et jusqu'à notre siècle, et bien que François d'Assise ait réhabilité la nature, et bien qu'au XIIIe siècle ensuite, saint Thomas ait remis les idées en ordre, on a ainsi déprécié le monde. Seul, le « ciel » présente, a-t-on beaucoup répété, un quelconque intérêt. De savants professeurs ont, par exemple, enseigné à des générations de séminaristes, jusque dans les années cinquante, que les activités des hommes pouvaient éventuellement (par accident) avoir une valeur éternelle dans la mesure où elles contribuent à l'évangélisation, à l'élévation des âmes : l'avion méritait d'être béni s'il transportait un missionnaire au bout de l'Afrique ou de l'Asie, et un poste de radio pouvait l'être aussi s'il diffusait des émissions religieuses[28]. Par chance, la plupart des séminaires prodiguaient aussi un enseignement plus solide.

Ce mépris du corps, du monde, des réalités terrestres évoluera au cours des siècles. Il régressera par exemple à l'époque de la Renaissance, s'accentuera après la Réforme protestante, variera souvent en raison du contexte historique[29].

Qu'une telle attitude ait des conséquences sur la vision de la sexualité (à laquelle les ouvrages pieux, les livres de morale, les pénitentiels, par milliers, consacrent de très longs développements) est évident.

Grégoire le Grand écrivait : « Non seulement le plaisir n'est pas un but licite pour les rapports sexuels, mais quand il vient se mêler à cet acte, les époux transgressent les lois du mariage[30]. » Saint Thomas au contraire constatera que « nul ne peut vivre sans quelques satisfactions sensibles et corporelles[31] ». Quelques voix discordantes s'élèveront au long des siècles, mais Pie XII fera l'effet d'un novateur lorsqu'il déclarera : « En recherchant le plaisir et en en profitant, les couples ne font rien de mal ; ils acceptent ce que le Créateur leur a donné[32]. » Cependant, il situe encore cette recherche du plaisir dans la fonction de « procréation ». Jean-Paul II ira plus loin, en 1996, lors de son voyage en France, en mettant en parallèle, dans son discours de Sainte-Anne-d'Auray, les « relations charnelles », « les manifestations de tendresse », « le langage du corps » avec « le mystère (...) de l'union du Christ et de l'Église[33]. » Le Concile Vatican II lui-même n'était pas allé aussi loin. Il avait constaté que « les actes qui réalisent l'union intime et chaste des époux sont des actes honnêtes et dignes. Vécus d'une manière vraiment humaine, ils signifient et favorisent le don réciproque par lequel les époux s'enrichissent tous les deux dans la joie et la reconnaissance[34] ». Et le *Catéchisme de l'Église catholique* publié en 1992 sous l'autorité du même Jean-Paul II liait encore étroitement sexualité et procréation : « Par l'union des époux se réalise la double fin du mariage : le bien des époux eux-mêmes et la transmission de la vie. On ne peut séparer ces deux significations ou valeurs du mariage sans altérer la vie spirituelle du couple ni compromettre les biens du mariage[35]. »

Le mépris de la chair et du corps, du monde terrestre, cette sous-estimation des conséquences de l'Incarnation, s'est traduit aussi dans l'art. Or, je l'ai déjà dit, les images, les sculptures, les formes, l'architecture des églises et des cathédrales, ont joué un rôle essentiel dans la formation du sentiment religieux. L'art médiéval fut un livre de pierre et de verre : une population presque entièrement illettrée pouvait déchiffrer l'enseignement de l'Église sur les chapiteaux, les vitraux, parfois les mosaïques, les fresques et les tympans des grands édifices religieux.

Au Moyen Âge, l'art roman dominait. Et comme le signalent André Malraux[36] et les grands historiens, l'art roman exprime, manifeste, la transcendance divine, mais ignore pratiquement l'Incarnation. Un virage décisif débutera dès le XIIe siècle, avec le gothique, qui « semble avoir fait descendre le paradis sur terre[37] ». Des cathédrales surgissent dans tous les ciels d'Europe, dont les larges baies, symboliquement, laissant pénétrer le jour, sont ouvertes sur le monde. Beaucoup sont dédiées à Marie, Notre-Dame, qui donna naissance au Dieu incarné. « Aux yeux des maîtres des écoles urbaines soucieux de rigueur et qui veulent comprendre ce dont ils parlent, Dieu ne se montre plus aussi souvent comme le foyer éblouissant (...) ils le voient plutôt sous l'aspect d'un homme[38] », souligne Georges Duby.

L'art de la Renaissance ira plus loin encore : il osera par exemple montrer le sexe de Jésus enfant (que, par pruderie, on voilera ensuite sur bien des tableaux, comme celui du Christ souffrant sur les crucifix)[39]. Il montrera aussi Jésus soumis à la circoncision, laquelle prouve, explique saint Thomas, « la réalité de sa chair humaine[40] ». L'Italien Andrea del Sarto, en 1515, ira jusqu'à peindre un Enfant Jésus rieur qui empoigne d'une main ses organes génitaux et pointe l'autre vers le sein de sa mère, comme pour montrer qu'il se réjouit de son incarnation.

La mise en évidence de la sexualité de Jésus était comme la preuve que Dieu s'était fait homme, totalement Dieu et totalement homme. Cela ne dura guère. La pruderie des uns, les remous de la Réforme protestante et de la Contre-Réforme, le jansénisme, le quiétisme, et bien d'autres mouvements entraînèrent à gommer, dans l'art, mais surtout dans la spiritualité et la théologie, l'importance de l'Incarnation.

L'encyclique *Quanta Cura*, en 1864, dénonce le rationalisme « impie » qui met en cause la divinité de Jésus, mais elle ignore son humanité ; et naturellement, le *Syllabus* (catalogue des erreurs) qui l'accompagne dénonce, pêle-mêle, « le progrès (...) et la civilisation moderne[41] ». On ne fête plus aujourd'hui la Circoncision, signe s'il en fut, comme le disait saint Thomas, de l'incarnation totale de Jésus.

Il nous faut à présent observer ce que la foi en l'Incarnation, qui eut tant de peine à s'affirmer et en a tant à survivre, révèle du Dieu de Jésus.

CHAPITRE IV

Il y a de l'homme en Dieu, donc de l'imparfait, de l'inachevé

Il n'existe qu'un seul Jésus, il est à la fois homme et Dieu. Il n'existe de même qu'un seul Dieu. Quand Jésus est insulté, torturé, fouetté, c'est Dieu qui est insulté, torturé, fouetté. Quand Jésus agonise et meurt sur la Croix, c'est Dieu qui meurt en lui.

Chacun est libre de croire en Dieu, ou non. Chacun est libre de croire, ou non, que Dieu s'est incarné en Jésus. Mais si l'on dit croire en l'Incarnation, c'est cela qu'il faut croire : Dieu – et non pas un de ses messagers, un de ses suppléants, Dieu lui-même – a été martyrisé comme des millions d'hommes, de femmes et d'enfants l'ont été et le sont depuis l'aube de l'humanité. Dieu a été martyrisé et l'a accepté.

Voilà qui est, à proprement parler, renversant. J'insiste : c'est le monde à l'envers.

Voici que le sommet de l'univers, si l'on peut dire, est au fond. Voici surtout que l'Incarnation et la croix entraînent, comme l'écrivit en 1972 le théologien protestant allemand Jürgen Moltmann, « une révolution dans la notion de Dieu[1] ». Il faut prendre le mot révolution – fort usagé d'être trop utilisé – dans son sens littéral le plus fort. Il faut aussi essayer d'en tirer les conséquences, toutes les conséquences. Cela nous mènera loin. Jusqu'à comprendre que le Dieu de Jésus ne correspond guère à l'idée que l'on s'en fait d'ordinaire.

Nous ne devrions pas, pourtant, en être tout à fait

surpris. Dans la Bible, les livres que les chrétiens appellent l'Ancien Testament préparent, annoncent parfois cette révolution de l'idée de Dieu. Que raconte en effet la Genèse (1, 1-27) ? Elle montre Dieu créant la Terre puis donnant l'ordre à celle-ci de produire l'herbe, les arbres et ainsi de suite. Chaque paragraphe de ce récit commence de la même manière : « Dieu dit : Que les eaux..., etc. » ; « Dieu dit : Que la terre se couvre..., etc. » ; « Dieu dit : Qu'il y ait des lumières..., etc. » Et soudain, changement de rythme, comme pour marquer la solennité de l'événement, la part plus directe que Dieu veut y prendre. Dieu ne dit plus : « Que ceci soit », ou « Que cela soit ». Voici le verset 26 : « Dieu dit : *Faisons* l'homme à notre image, selon notre ressemblance. » C'est moi qui souligne, évidemment. Et notons que le verset suivant précise à nouveau : « Dieu créa l'homme à son image, à l'image de Dieu il le créa ; mâle et femelle il les créa. »

« À son image. » Voilà une expression qui a suscité bien des débats. Elle ne signifie pas que l'homme soit Dieu. On sait ce que sont les clones en biologie : des individus exactement identiques à un individu premier, et reproduits de manière végétative ou asexuée. L'homme n'est pas un clone de Dieu. L'homme est différent. Si Dieu s'était fabriqué des clones, il serait comparable à Narcisse, ce personnage de la mythologie grecque, jeune homme d'une grande beauté qui fut séduit par lui-même en voyant son image dans l'eau d'une fontaine, et qui finit par mourir de la passion qu'il s'inspira. Le narcissisme, attention exclusive qu'on se porte à soi-même, n'a rien à voir avec l'amour. Dieu étant amour – et même, pour reprendre la forte expression du père François Varillon, jésuite, Dieu « n'étant qu'amour » –, il ne peut que faire les hommes différents[2]. Jacques Pohier écrit : « Dieu n'est pas gêné par le fait que le monde et l'homme ne soient pas comme lui (...) Dieu n'est pas inquiet de ce que nous soyons autres que lui[3]. » On pourrait aller plus loin, dans la logique de cette pensée, pour dire qu'il s'en réjouit.

Reprenons la succession des versets 26 et 27 de la Genèse, cette répétition (« Faisons l'homme », « Dieu créa l'homme ») que dans mon langage de journaliste j'appellerai un « doublon ». Elle ne manque pas de sens. Au verset 26, l'homme est encore lié aux animaux, dont il est distingué, certes, puisqu'il doit les « soumettre ». Le genre humain est en continuité avec le règne animal. Parlant de l'un et de l'autre, la Genèse a utilisé le même verbe : faire. Et au verset 27, changement. C'est le verbe créer : « Dieu créa l'homme à son image. » On peut comprendre qu'il ne s'agit pas de l'homme des premiers temps, ni de l'homme d'aujourd'hui ; il s'agit de l'homme tel qu'il est appelé à être dans l'avenir. Il est appelé à être Dieu.

Poursuivons avec le texte de la Genèse. Adam et les siens, après « l'expulsion du jardin d'Éden », ne se résignent pas, ne s'abandonnent pas au désespoir. Ils passent à l'action pour dominer la terre. La Genèse dit même (4, 2) qu'Abel faisait paître les moutons et que Caïn cultivait le sol. Comme le constate Élie Wiesel : « Adam diffère de la plupart des figures mythologiques. Vaincu par Dieu (...) il eut le courage de se redresser, et de recommencer[4]. »

Le texte de la Genèse exprime donc, même dans cette situation malheureuse, un optimisme fondamental sur l'homme, qui justifie la formule d'Irénée, évêque de Lyon au IIe siècle, que nous avons déjà rencontré : « La gloire de Dieu, c'est l'homme vivant[5]. »

Un autre texte capital de la Bible, le livre de l'Exode, montre, par ailleurs, que Dieu s'abaisse – si l'on peut parler ainsi – au niveau des hommes. On connaît l'histoire : les Juifs sont exilés et souffrants en Égypte ; la fille de Pharaon trouve un bébé abandonné qui pleurait, Moïse, qu'elle sauve des eaux ; plus tard, Dieu se révèle à Moïse adulte pour lui donner mission d'emmener le peuple d'Israël ailleurs, « vers un pays ruisselant de lait et de miel». Or, quand Dieu se révèle ainsi à Moïse, il se tient, dit le livre de l'Exode (3, 1-6), dans un buisson d'épineux. Qu'est-ce que cela signifie ? Un texte juif, du Rabbi Siméon ber Yohaï[6], l'explique : « De même que ce buisson est le plus dur de tous les arbustes du monde, en sorte que tout oiseau qui y entre ne peut en sortir sain et sauf sans se déchirer les ailes, de même l'esclavage d'Israël en Égypte était plus dur que tous les esclavages du monde. Pourquoi Dieu (...) parla-t-il à Moïse du sein d'un buisson ? De même que ce buisson était le plus humble de tous les arbustes du monde, de même les Israélites étaient descendus au degré le plus bas et Dieu descendit avec eux pour les sauver. »

Nous sommes toujours dans la représentation verticale – Dieu en haut, les hommes en bas – mais un texte comme celui-là est précurseur. Il présente Dieu comme presque réduit à la condition humaine, prisonnier d'un buisson d'épineux si serré que même un oiseau ne peut s'en sortir sans se déchirer les ailes, donc perdre les moyens de voler, d'être oiseau.

En Jésus, Dieu ira plus loin encore puisqu'il se fera homme. Mais la continuité entre ce que nous appelons l'Ancien et le Nouveau Testament est évidente. La Bible est une œuvre pédagogique, qui révèle peu à peu qui est Dieu, capable de « s'abaisser », de s'emprisonner par amour. Elle révèle ainsi qui est l'homme. L'homme est grand aux yeux de Dieu, en dépit de ses faiblesses et de ses défauts : la Bible ne se gêne pas pour exposer les passions et les faiblesses de plusieurs personnages qu'elle considère pourtant parmi les plus importants de l'histoire d'Israël.

L'homme est grand tout entier. Y compris son corps. C'est un autre sens de l'Incarnation que les chrétiens, on l'a vu au chapitre précédent, ont eu (ont toujours) bien de la peine à admettre. Pourtant, Irénée, encore lui, l'avait déjà affirmé au IIe siècle : « Ce qui a été fait par les mains du Père, ce n'est pas une part de l'homme, mais l'homme (...). L'âme et l'esprit peuvent être une partie de l'homme, mais non l'homme. L'homme complet, c'est le mélange et l'union de l'âme assumant l'Esprit du Père et mêlée à la chair qui a été modelée à l'image de Dieu[7]. » Thomas d'Aquin, dans le même esprit, disait que l'homme est constitué par l'esprit et la main. C'est grâce à la main que je saisis et déplace les objets, que j'écris, que je compose un numéro de téléphone, que je fais cliquer la souris de mon ordinateur. C'est ainsi que l'homme, comme l'écrivait le père Varillon, déjà cité[8], exerce sa *main-mise* sur le monde. L'esprit de l'homme serait impuissant sans la main. Les progrès de l'électronique lui permettront peut-être un jour de s'en passer, mais Thomas d'Aquin ne pouvait le prévoir.

Nous voici loin du cantique, pas si ancien, où l'on faisait répéter aux chrétiens : « Je n'ai qu'une âme qu'il faut sauver. » Nous avons une âme et un corps, l'une impuissante sans l'autre.

Nous voici loin aussi, on l'a déjà dit, de toutes ces spiritualités de mépris du corps, qu'il fallait faire souffrir, assurèrent des milliers d'homélies, d'articles et de livres, pour être plus proches de Dieu. Comme si le don de soi, cette merveille, était synonyme de mortification.

L'Incarnation donne donc une première information sur l'homme, capitale. C'est que l'homme est grand. Quand Sartre s'est écrié quelque part : « Si Dieu existe, l'homme est néant[9] », il a écrit une énorme bêtise. Accordons-lui des circonstances atténuantes : quel Dieu lui avait-on enseigné ? De quel Dieu lui avait-on parlé ? Pas du Dieu de l'Incarnation, semble-t-il.

Voici donc établi un premier point : une information sur l'homme. Mais l'Incarnation donne aussi, donne surtout, une information non moins capitale, décisive, sur Dieu lui-même. Résumons-la en une formule : *il y a de l'homme en Dieu, Dieu a des traits d'homme*[10].

Cette formule peut faire sursauter, et même celui

qui en admet la vérité continue à réagir, d'instinct, comme si Dieu était le Tout-Autre, le Tout-Puissant, et ainsi de suite. Pourtant, elle découle tout simplement de la phrase déjà citée que l'Évangile de Jean prête à Jésus, lors du dernier repas qu'il prit avec ses compagnons. Philippe (appelé parfois Nathanaël) demande: « Seigneur, montre-nous le Père et cela nous suffit. » Et Jésus répond: « Qui m'a vu a vu le Père. (...) Je suis dans le Père et le Père est en moi. » (Jean 14, 8-10).

Tout est dit. Mais essayons d'éclairer ce que cela signifie.

Cela signifie d'abord que Dieu a accepté les limitations des hommes. Il a accepté de devenir l'imparfait, avec le projet, certes, de « retourner de l'intérieur cet imparfait », comme le dit le père Xavier Léon-Dufour[11]. Autrement dit, il n'a pas choisi d'être imparfait, comme ça, gratuitement, par caprice, mais avec un projet. Pour reprendre la malencontreuse mais pratique image verticale, il est descendu pour faire remonter avec lui toute l'humanité, toute la Création. Nous y reviendrons. Reste ceci, qui est fondamental : *Dieu peut avoir en lui de l'imparfait*.

Pour un temps? Certes. Mais si Dieu intervient ainsi dans l'histoire, il y a, autre conséquence de l'Incarnation, de la « temporalité » en Dieu. Cette notion de « temporalité » est difficile à admettre parce que beaucoup confondent intemporel et éternel[12]. Comme si Dieu, étant éternel, ne pouvait intervenir dans le temps. Notre temps. Dans l'histoire. Notre histoire, celle de la Création.

Car la Création est une histoire en train de se faire. Dieu n'a pas fabriqué le monde comme un artisan fabrique un objet; même si cet artisan y met beaucoup de lui-même, comme on dit, même s'il y consacre le meilleur de lui-même, cet objet devient tout à fait indépendant de lui. Ils se séparent. Bien souvent, notre artisan ignorera même la destinée de cet objet auquel il a consacré tant de soins. *La Créa-*

tion au contraire n'est pas terminée. Elle est en train de se faire. Elle est maintenant l'œuvre de deux associés, Dieu et l'Humanité. C'est pourquoi la Bible parle de leur Alliance.

S'il est une idée que les docteurs de la foi et les prédicateurs devraient marteler à temps et à contretemps, c'est bien celle-là. « La Création, me disait le père Chenu, ce n'est pas une opération capricieuse de Dieu au début de l'histoire, et qui continue à se dérouler médiocrement, c'est l'aujourd'hui du Créateur[13]. » Dieu est à l'œuvre chaque jour pour réduire le chaos initial, pour lutter contre le mal (ce qui pose autrement le problème du mal et de la souffrance) et nous sommes ses alliés, nous les hommes, pour poursuivre la Création. Alors, chaque fois que nous mettons un peu d'amour dans le monde, chaque fois que nous y mettons un peu de fraternité, chaque fois qu'une mère embrasse son fils, qu'un homme embrasse celle qu'il aime, chaque fois qu'un ingénieur participe au progrès, chaque fois qu'un peintre ou un sculpteur met un peu plus de beauté autour de nous, chaque fois que des hommes construisent un superbe monument ou une maison confortable pour des sans-logis, chaque fois qu'un laboratoire invente un nouveau médicament, c'est la Création qui avance. Je l'ai déjà exposé ailleurs[14], alors pourquoi ne le redirais-je pas ici, bien que je n'aime pas mettre en avant mes histoires personnelles : j'ai perdu une sœur, en 1941, elle avait dix-huit ans et mourut en dix-huit jours d'une infection pulmonaire ; cinq ans plus tard, on aurait pu la guérir. Parce que, entre-temps, un certain Fleming avait découvert la pénicilline. Parce que la Création avait avancé. D'autres, dans le même temps, mettaient au point, c'est vrai, la bombe atomique, qui causa d'effrayants ravages. Le progrès a toujours deux faces et il arrive souvent aux hommes d'utiliser d'abord la part d'ombre. Mais les découvertes de la science nucléaire ont cependant permis à l'humanité de véritables bonds en avant.

Nous voici en plein cœur de cette question de la souffrance et du mal qui est un obstacle à la foi, qui est *l'Obstacle* à la foi pour tant de gens. « S'il y avait un Dieu, entend-on, il ne permettrait pas cela », la mort, le malheur, l'injustice. Et ceux qui se révoltent ainsi, et dont chacun partage la révolte et le chagrin, n'auraient pas tort, si la Création était une affaire terminée, une construction achevée, si Dieu s'en était retiré. Si cette extraordinaire aventure s'était terminée par un « au revoir ». Au revoir et merci. Ou plutôt, non merci.

Car il n'est pas toujours bien beau, le spectacle du monde. On connaît la réponse embarrassée de tant de prédicateurs : c'est la faute des hommes et de leur péché, du mal qui est en eux. Sans doute : si les Tutsis et les Hutus du Rwanda s'entre-tuent à la machette et à la mitrailleuse, qui pourrait en accuser Dieu ? C'est la contrepartie de leur liberté, le prix terrible de la liberté de l'homme. Et un Dieu-amour ne peut que vouloir l'homme libre. Un amour qui n'est pas donné, vécu librement, n'est pas de l'amour. Dans *Les Mouches*, Sartre fait dire par Jupiter à Oreste, qui lui reprochait de l'avoir créé libre : « Je t'ai donné ta liberté pour me servir. » C'est peut-être vrai pour le Jupiter de Sartre. Mais ce n'est pas vrai pour le Dieu de Jésus qui a créé les hommes, non pour être servi, mais pour servir, par amour.

Oui, c'est vrai, une partie du mal du monde est imputable aux hommes. Mais les tremblements de terre, les raz de marée, les catastrophes naturelles ? Ils n'y peuvent rien. Mais le malheur des enfants ? Ceux-ci sont innocents. Tout au long des siècles, des hommes se sont révoltés contre un Dieu qui le tolérerait, qui le susciterait lui-même, chuchotait-on parfois (car on le présentait comme un sadique, trouvant son plaisir à faire subir des « épreuves » aux hommes pour mesurer leur capacité à se soumettre, et à l'aimer). Et les hommes qui se sont révoltés contre cette vision de Dieu avaient mille fois raison de le faire, pour l'honneur de l'homme, pour que les mots d'amour et de justice gardent un sens.

Ce Dieu-là n'est pas celui de Jésus. Le Dieu de Jésus n'est ni un tireur de ficelles, ni un magicien, et il ne viole pas la nature. *Le Dieu que révèle Jésus par l'Incarnation est – il faut oser l'écrire – d'une certaine manière impuissant.*

Bien des hommes, à commencer par les Juifs, comme il était logique, se sont interrogés après Auschwitz, après que les nazis eurent tenté d'exterminer, de faire disparaître de la surface de la terre tout un peuple. Et pas n'importe lequel. Le peuple « élu », choisi par Dieu. Comment Dieu a-t-il pu permettre Auschwitz ? Pourquoi n'a-t-il pas volé au secours des siens ? C'est une question toujours reprise par les théologiens, les philosophes, ou les hommes et les femmes qui ne se parent d'aucun de ces titres mais simplement réfléchissent, s'interrogent.

Je comprends cette question, j'en saisis toute la gravité, mais elle m'a depuis longtemps surpris. Si Dieu n'a pas empêché Auschwitz, ni aucun génocide, ni aucun des malheurs du monde, ce n'est pas parce qu'il ne le voulait pas, c'est parce qu'il ne le pouvait pas.

Cette idée est difficilement admissible, je le sais. La conception d'un Dieu tout-puissant, capable de tout, d'arrêter la marche du soleil ou de transformer la lune en carrosse, est ancrée dans les esprits depuis qu'il y a des hommes et qui pensent. Et dès leur plus jeune âge. Ce qui n'est pas surprenant car c'est une conception infantile, une vision de conte de fées.

Dieu, certes, ne se désintéresse pas de l'homme. Il souffre avec lui, il com-patit, comme nous l'avons vu. Mais il s'interdit toute atteinte à sa liberté. Il aide, et il attend. « L'amour est patient », dit Paul (Corinthiens 13, 4).

Le philosophe juif Hans Jonas s'est interrogé longuement sur cette question[15]. Et il est parvenu à cette conclusion : le Dieu de la Bible est bon, il est intelligible – l'homme peut le connaître, du moins pour l'essentiel ; or, si un Dieu bon et tout-puissant (au sens où nous l'entendons d'ordinaire, comme dans les contes et légendes) permet Auschwitz, il devient inintelligible ; à l'inverse, si un Dieu bon et intelligible permet Auschwitz, alors il n'est pas tout-puissant. Autrement dit – je simplifie bien sûr, je schématise –, Dieu ne peut pas être à la fois bon, compréhensible et tout-puissant.

Voilà ce qu'écrit Hans Jonas. Or, la Bible, les textes anciens comme l'enseignement de Jésus, nous apprennent que Dieu est bon et compréhensible. C'est donc qu'il n'est pas tout-puissant. Ou plutôt qu'il n'a de puissance que celle de l'amour. Qui est limitée : si j'aime, je suis dépendant de l'aimé(e).

Nous y reviendrons. Nous en sommes encore à débroussailler le terrain. Mais nous pouvons noter que cette idée d'une relative impuissance de Dieu est sous-entendue par nombre de textes autorisés. On peut lire par exemple dans *Je crois Seigneur* (documents destinés au catéchisme des « grands »)[16] : « Les chrétiens savent qu'en construisant un monde meilleur avec tous les hommes, ils travaillent avec Dieu qui réalise peu à peu son plan d'amour. » Ce qui exprime très nettement l'idée que la Création n'est pas une histoire du passé, qu'elle est en train de se faire. Arrêtons-nous à ce « peu à peu ». Et posons la question : quand on est animé par un « plan d'amour », comme le dit ce texte parmi bien d'autres, quand on est poussé par une volonté d'amour, pourquoi ne réalise-t-on pas dans l'instant l'idéal que l'on poursuit, si on le peut ? Pourquoi attendre, et laisser s'accumuler pendant cette attente massacres, malheurs, catastrophes ? Pourquoi Dieu a-t-il attendu ? Il n'existe qu'une réponse : c'est qu'il ne possède pas la toute-puissance qu'on lui attribue d'ordinaire.

J'entends bien les objections : on dira que je raisonne comme si Dieu était un homme, alors qu'il n'y a pour lui ni présent, ni passé, ni avenir. Mais si Dieu est entré dans l'histoire des hommes, si la Création est une histoire, il y a, nous l'avons déjà vu, de la temporalité en Dieu en même temps que de l'éternité. On chante à l'Office : « Gloire à Dieu le Père, au Fils, Dieu qui est, qui était et qui vient. » Admirable formule qui rassemble tout. Ce Dieu qui vient, ne vient pas de loin, d'un ailleurs. Il vient de l'avenir : *Dieu est éternellement en train de se faire. Et il est par quelque côté impuissant.*

Résumons. L'Incarnation nous apprend qu'il est humble : Jésus dit : « Qui m'a vu a vu le Père », aussitôt après avoir lavé les pieds de ses compagnons[17]. L'Incarnation nous apprend qu'il souffre : Paul Claudel évoque « le Bon Dieu à qui on fait mal et qui crie[18] ». Mais Dieu ne souffre pas seulement physiquement, il souffre de n'être pas entendu, de ne pas être compris, il souffre du refus de son amour. L'Incarnation nous révèle enfin un Dieu qui est relativement impuissant, qui peut-être – et alors c'est par amour – prend les risques de l'impuissance.

Il faut relever un autre point : l'Incarnation n'est pas un accident. Bien des chrétiens ont dans la tête une histoire des rapports entre Dieu et l'homme que l'on peut résumer ainsi : Dieu a créé la terre (ou l'univers) et l'homme. L'homme s'est mal conduit. Dieu l'a puni et exclu. Plus tard, pour effacer cette punition, rétablir le contact avec l'homme, Dieu a envoyé son fils se sacrifier. Je schématise, bien entendu. Mais c'est en gros ce que racontent et ont raconté catéchismes, sermons et cantiques. Nous verrons dans un autre chapitre ce qu'il en est du sacrifice de Jésus.

Retenons seulement, pour l'instant, que l'Incarnation est ainsi présentée comme un accident : les choses s'étant mal passées après la Création, Dieu s'est vu contraint d'envoyer son Fils, cet autre lui-même, pour rétablir la chaîne rompue, réparer ce que l'homme avait cassé. C'est aussi ce que dit un texte officiel et très récent (1994) de l'Église catholique, un document de la Commission théologique internationale, écrit par une sous-commission d'une dizaine de personnes et intitulé « Le Dieu Rédempteur : questions choisies. » On y lit ceci : « Si (...) Dieu a dû envoyer son Fils unique pour *restaurer* son projet de salut inhérent à l'acte même de la Création, c'est parce que ce projet avait été radicalement compromis. » Et encore : « Si le Fils s'est incarné pour réinstaurer l'alliance de Dieu, c'est parce que cette alliance avait été brisée non par la volonté de Dieu mais par la volonté des hommes[19]. » Ce qui paraît une vision très limitée – que l'on me pardonne, à moi qui ne suis point théologien officiel – de l'Incarnation. Celle-ci, en un certain sens, était obligatoire. Étant donné ce qu'il était et ce qu'il voulait, Dieu ne pouvait pas ne pas se faire homme.

Irénée, une fois de plus, montre le chemin. (Cet Oriental, né à Smyrne et qui émigra en Gaule, a décidément laissé des textes essentiels.) Il parle de Jésus-Christ comme « venant tout au long de l'économie universelle et récapitulant tout en lui-même[20] ». Je reconnais que ce n'est pas d'une totale clarté. Mais retenons ce « venant tout au long de l'économie universelle ». Autrement dit, de toute éternité, il est prévu que Jésus, Dieu lui-même, va s'incarner. Jésus n'est pas – qu'on me pardonne l'expression – le plombier-zingueur qui vient réparer une fuite, le parachutiste ou l'hélicoptère venu récupérer l'homme en détresse. Il vient donner un nouvel élan à la Création. Bien plus, l'Incarnation est une nouvelle Création, une re-Création, une étape essentielle, prévue et décisive dans le mouvement de la Création.

Irénée, toujours lui, écrit plus loin que Jésus en quelque sorte n'aurait pu apparaître plus tôt, qu'il fallait « que l'homme fût créé, puis qu'il grandît (...) puis qu'il se multipliât, puis qu'il prît des forces, puis qu'il parvînt à la gloire et que, parvenu à la gloire, il vît son maître[21] ». Ainsi, toute l'histoire humaine, aux yeux d'Irénée, est, jusqu'à l'Incarnation, la préparation de la venue de Dieu-homme, l'attente de l'homme-Dieu qui révélera qui est Dieu, qui il est. Teilhard de Chardin ira jusqu'à écrire : « Si le Christ était venu sur terre au temps d'Abraham ou de Moïse, on peut croire que – sauf miracle – les hommes (...) ne l'eussent pas compris du tout. Leur âme naturelle, leur degré d'humanité, n'eussent pas été capables de le recevoir[22]. »

Le même Teilhard indique : « Par l'Incarnation fut vaincue l'ignorance et rendu à l'Univers le goût de son devenir unique quand le Christ (...) vint prendre la tête de la Création[23]. »

Nous voici au cœur : l'Incarnation *révèle* à l'homme son destin et vise à *réussir* l'humanité. L'humanité autour de l'homme-Dieu, le destin de l'homme étant de devenir Dieu. Selon la célèbre et ancienne formule, « Dieu s'est fait homme pour que l'homme devienne Dieu ». Et c'était prévu de toute éternité. François Mauriac, évidemment ébahi d'une telle perspective, s'enthousiasme : « L'homme est une créature capable de Dieu, capable du Christ (...). Que nous soyons Lui comme Il est nous, c'est cela la merveille[24]. »

Dieu et l'homme sont donc promis au même destin. Et si l'homme devait être sauvé – de quoi devait-il être sauvé, c'est une question que nous nous poserons bientôt –, c'est par l'Incarnation d'abord qu'il l'a été. Écoutons, comme d'habitude en ce chapitre, Irénée : « Lorsqu'Il s'est incarné et s'est fait homme, Il a récapitulé en lui-même la longue histoire des hommes et nous a procuré le salut en raccourci, de sorte que, ce que nous avions perdu en Adam, c'est-à-dire d'être à l'image et à la ressemblance de Dieu, nous le recouvrions dans le Christ Jésus[25]. » Il y a dans cette phrase une expression étrange : « en raccourci ». Traduisons : dès le premier instant de la conception humaine de Jésus, dès qu'a existé un embryon-Jésus, le salut était, selon Irénée, « procuré »[26]. Il n'a pas fallu attendre pour cela ce qu'on appelle « le sacrifice de la Croix». Même si la crucifixion a joué dans cette histoire un rôle capital. Augustin, lui aussi, constate: «Ce n'est pas seulement depuis que nous sommes réconciliés par le sang de son Fils que Dieu a commencé à nous aimer: il nous a aimés avant la création du monde, afin que nous puissions devenir ses enfants avec son Fils unique[27].»

À la fin de son livre *Tristes Tropiques*[28], l'anthropologue-philosophe Claude Lévi-Strauss conclut: «Le monde a commencé sans l'homme et il s'achèvera sans lui.» Ce qu'annonce Jésus par son existence même, alors qu'il n'est encore qu'un fœtus, c'est au contraire que le monde s'achèvera avec l'homme dans toute sa gloire, l'homme devenu Dieu.

Mais pas n'importe quel Dieu. Il nous faut poursuivre la recherche, débroussailler encore le terrain, pour tenter de le comprendre. Et d'abord nous interroger sur cette affirmation si souvent répétée par les chrétiens aujourd'hui: Dieu est amour. Il s'agit d'en chercher l'origine, la justification et les implications.

CHAPITRE V

Il ne suffit pas de dire que Dieu est amour, il faut en tirer toutes les conséquences

Retrouvons les compagnons de Jésus au lendemain de la Pâque, au lendemain du jour où – ils ne cesseront ensuite de le crier sur tous les toits – ils l'ont vu vivant, ressuscité. Impossible pour eux de ne pas s'interroger. Si Jésus est Dieu, comme ils le croient, comme ils vont finir par le croire, qui est ce Dieu qui a admis de traîner avec eux sur les routes de Galilée, de se cacher parfois pour échapper aux flics de Caïphe, de partager avec eux le mauvais pain et le vin aigre des jours sombres, qui est ce Dieu qui a accepté enfin d'être martyrisé et de mourir sur une croix comme le pire des voyous ? Même s'il est réapparu ensuite en vainqueur de la mort, comme ils le croient, c'est une question d'une dimension presque folle. À laquelle ils ne peuvent trouver qu'une réponse, bien sûr : il l'a fait par amour.

Que Dieu soit l'amour, voilà une formule que l'on met aujourd'hui, mais pas depuis très longtemps, à toutes les sauces. Voilà ce que, désormais, des chrétiens, certes animés des meilleures intentions, serinent à des mères qui viennent de perdre leur enfant, à des hommes mutilés, humiliés, à des femmes violées ou torturées par le crabe nommé cancer. Des hommes et des femmes qui ont peut-être envie de leur cracher au visage pour leur enjoindre de se taire, de ne pas ajouter à leur malheur par des formules passe-partout, de pseudo-baumes apaisants.

« Ne prêchez plus sur la souffrance », conseillait, dit-on, quand il fut torturé par un cancer justement, en 1968, un cardinal-archevêque de Paris, qui avait passé l'essentiel de sa carrière ecclésiastique dans les douillets bureaux romains, Pierre Veuillot.

L'idée d'un Dieu d'amour n'était certes pas admise par les anciens. Au contraire. Ils imaginaient plutôt la divinité comme un être qui pourrait les secourir, les rendre heureux, mais ne se souciait guère d'eux. Sauf, éventuellement, pour les mettre à l'épreuve, les punir ou les écraser.

De tout temps, et aujourd'hui encore, dès leur plus jeune âge, des enfants, des hommes et des femmes supplient un dieu quand ils se sentent en péril, quand ils se jugent incapables de remédier par eux-mêmes à leurs misères, de surmonter sans aide les obstacles qui se dressent sur leur chemin. Alors, ils se tournent vers cette puissance magique, surnaturelle et cachée, l'implorent, s'humilient devant ses images ou ses statues, lui adressent promesses et vœux. Ou bien, chrétiens, ils s'adressent à des intercesseurs, des saints et des anges, comme s'il était nécessaire que des intermédiaires agréés viennent tirer par la manche un Dieu impassible, ignorant et indifférent pour qu'il daigne se pencher enfin sur leur sort misérable. Ainsi répète-t-on, pour développer le culte marial, que « Jésus ne peut rien refuser à sa mère », ce qui signifie, si l'on comprend bien, que sans cette intervention, il pourrait refuser ses bienfaits – en vertu d'on ne sait quelle raison ou caprice – aux enfants des favelas de Rio, des bouges de Manille ou des camps du Rwanda, aux estropiés et aux désespérés de partout, pour lesquels il est mort, il s'est sacrifié, nous disent pourtant les mêmes prédicateurs et les mêmes manuels de spiritualité. On peut certes avoir du rôle de Marie et des saints une autre vision : celle d'une complicité avec Dieu pour le bonheur de l'humanité. Mais ce n'est pas cette vision qui domine et qu'induit le mot « intercession ».

Jacques Maritain, le philosophe, s'étonnait à la fin de sa vie : « Je connais, écrivait-il[1], pas mal de chrétiens qui (...) d'une part ont en tête une vague idée (du moins leur a-t-on dit ces mots) que Dieu est amour et d'autre part pensent à Lui, non pas comme à un Père (...) mais comme à un Empereur de ce monde, un Potentat-dramatique qui serait lui-même (...) le premier auteur de tous les péchés du monde et de toute sa misère, et qui se plairait au spectacle ainsi fixé par lui d'une histoire humaine où le mal abonde abominablement. »

Ce texte dit vrai, bien sûr. Mais ce qui étonne, c'est l'étonnement du vieil intellectuel catholique. Si bien des chrétiens, aujourd'hui encore, pensent ainsi, c'est qu'on l'a longtemps appris à leurs pères. On leur a dit que si Dieu châtiait ceux qu'il aimait, c'était afin d'éprouver leur vertu, qu'il tuait au berceau les enfants des hommes parce qu'il désirait « compter un petit ange de plus dans le ciel », et qu'il lui « plaisait de rappeler à Lui l'âme de son serviteur ». On ne le dit plus ? C'est vrai, on le dit beaucoup moins. Mais encore une fois je le répète, il faut beaucoup de naïveté pour croire que de telles sornettes, ressassées pendant des siècles, ont été effacées et oubliées aujourd'hui. D'autant que la mentalité religieuse archaïque, simplificatrice, renaît sans cesse. Et surtout lorsqu'on est éloigné de l'enseignement religieux.

Pendant des siècles, les prédicateurs ont repris cette phrase de l'épître aux Hébreux (10, 31) : « Oh ! chose effroyable que de tomber aux mains du Dieu vivant », sans prendre garde que ce texte, attribué – sans certitude absolue – à saint Paul, est marqué par son époque tragique, celle de la chute du Temple de Jérusalem.

On a répété aux croyants qu'après leur mort, il n'y aurait plus de pardon, qu'ils devaient « gagner leur ciel sur la terre » avant de se trouver face au Dieu justicier, Dieu « aux yeux de lynx » qui scrute en permanence la moindre de leurs mauvaises pensées, la moindre de leurs mauvaises intentions, pour en tenir un compte rigoureux. Et les élèves des Frères des écoles chrétiennes chantaient : « Le souverain maître des cieux, aux cris, aux larmes insensible, nous jugera dans ces bas lieux, que son aspect sera terrible[2]. » Alors que la justice de Dieu ne veut pas l'écrasement mais le redressement de l'homme.

N'accablons pas trop vite ceux qui ont répandu cette image d'un Dieu justicier. Car l'idée du Dieu-amour est tellement révolutionnaire qu'il lui a fallu des siècles pour s'imposer, que l'on n'en tire pas toutes les conséquences aujourd'hui encore, et qu'il faudra lutter sans cesse pour la faire revivre.

Déjà, pourtant, le Dieu de l'Ancien Testament, le Dieu d'Israël (que l'on a vu au chapitre précédent s'enfermer dans un buisson épineux pour parler à Moïse) était proche des hommes, à la différence des dieux grecs. Il s'irritait, certes, fut même tenté, en provoquant le déluge, de les détruire tous (à l'exception de Noé et des siens) mais il cédait aux demandes des hommes, il parlait, promettait, consolait, pardonnait.

On pourrait, bien sûr, multiplier les citations qui mettent en scène un Dieu vengeur. Ainsi dans le livre des Psaumes ou dans les Lamentations (3, 7-10) :

> Il (Yahvé) m'emmure pour que je ne sorte pas ;
> il alourdit ma chaîne.
> J'ai beau crier et appeler au secours,
> il étouffe ma prière.
> Il mure mes chemins avec des pierres de taille ;
> il brouille mes sentiers.
> Il est pour moi un ours à l'affût,
> un lion en embuscade.

Mais ce texte est surtout un cri jailli de l'épreuve dont souffrent les Juifs. Considérons plutôt cet autre texte, fondamental, qu'est le livre de Job. Job, dit la Bible, était le plus riche de tous les fils de l'Orient ; il possédait sept mille brebis, trois mille chameaux, cinq cents ânesses et un grand nombre de serviteurs. Et voilà qu'en un seul jour tous ses enfants meurent, ses troupeaux disparaissent, ses maisons s'écroulent. Lui-même est frappé d'un ulcère malin, depuis la pointe des pieds jusqu'au sommet de la tête.

Si encore, il avait été jusque-là un méchant, un ignoble, un barbare, ceux qui se croient justes pourraient dire : « Bien fait, tant pis pour lui, il l'a cherché. » Mais non. C'était un juste, pratiquant le bien sans défaillance et « craignant Dieu ». Alors, il s'interroge, bien sûr, comme s'interrogent la plupart, la quasi-totalité de ceux qui lisent son histoire. Pourquoi Dieu le traite-t-il si mal ? C'est un scandale. Surtout pour les Juifs de cette époque – le livre de Job fut écrit, semble-t-il, vers la fin du Ve siècle avant Jésus-Christ – dont la plupart ne croyaient guère en une autre vie où l'on pût espérer la récompense que l'on n'avait pas reçue en celle-ci, la compensation de tous les maux que l'on avait endurés en cette « vallée de larmes ».

Alors, ils trouvent, pour se consoler, tenter d'expliquer l'inexplicable, des solutions hasardeuses du type : « Ne dis personne heureux avant sa mort, car c'est lors de sa fin que l'homme se fait connaître » (livre du Siracide, postérieur à celui de Job, 11, 26-28). Autrement dit : si un méchant a tout réussi, Dieu peut le punir terriblement à l'instant de son dernier soupir. Ou bien, si ce méchant a la chance de mourir en paix, ses enfants paieront pour lui : « Les enfants des pécheurs deviennent des enfants abominables qui hantent les demeures des impies » (encore Siracide 41, 5).

Or, le livre de Job présente sur ce point un double intérêt.

Le premier, c'est de balayer toutes ces réponses. Quand le malheureux Job, assis dans la cendre, gratte avec un tesson son corps couvert d'ulcères, arrivent trois de ses amis que tant de malheurs contraignent d'abord au silence. Il y a de quoi. Mais ils eussent mieux fait de continuer à se taire. Parce que, ensuite, ils lui débitent toutes les réponses et les explications traditionnelles, ineptes, qui eurent tant de succès jusqu'à nos jours. Et Job, le premier dans tout l'Ancien Testament, ne s'en laisse pas conter. « En fait de consolateurs, leur dit-il, vous êtes tous désolants » (Job 16, 2). Il les traite de « médecins de néant » et de « barbouilleurs de mensonges » (13, 4). Bien dit. Ensuite, c'est la révolte, non plus contre ces bavards prodigues en bonnes paroles : contre Dieu lui-même. Qu'on ne me raconte pas d'histoires, poursuit à peu près Job : Dieu, en vérité, n'a pas plus d'égards pour l'innocent que pour le salaud. « Il extermine l'intègre comme le coupable » (9, 22). Dieu, en vérité, veut sa peau à lui, Job. Et pas seulement la sienne. Car Job, qui n'est pas égocentrique, élargit son problème, sa question, sa révolte, à toute l'humanité.

Regardons cette histoire d'un peu plus près encore, et écoutons Job dans sa protestation scandalisée. Nous allons y trouver un autre sens, un autre intérêt. Que dit, en effet, Job à Dieu ? Ceci :

> Qu'est-ce donc que l'homme pour en faire un
> si grand cas, pour fixer sur lui ton attention,
> pour l'inspecter chaque matin,
> pour le scruter à tout instant ?
> Cesseras-tu enfin de me regarder
> pour me laisser le temps d'avaler ma salive ?
> Si j'ai péché, que t'ai-je fait à toi
> l'infatigable surveillant de l'homme ?
> Ne peux-tu tolérer ma faute ?
> Car bientôt je serai couché dans la poussière,
> tu me chercheras et je ne serai plus (7, 17-21).

« L'œil était dans la tombe et regardait Caïn », disait Victor Hugo dans un sombre poème que l'on n'apprend plus. L'œil de Dieu, de même, poursuit Job dans la poussière. C'est insupportable. En totale contradiction avec l'enseignement de Jésus. Dans l'Évangile de Matthieu, au chapitre 6, partie d'un long discours que l'on appelle d'ordinaire « Le sermon sur la montagne », Jésus évoque aussi cet œil de Dieu. Mais dans un sens positif. Quand tu fais l'aumône, dit Jésus, n'en tire pas gloire « et ton Père, qui voit dans le secret, te le rendra ». Quand tu veux prier, ne t'exhibe pas pour le faire ; de toute manière, ton Père te voit, et c'est ce qui compte. De même quand tu jeûnes. (Matthieu 6, 4-18.) Ce que voit le Dieu de Jésus, c'est la bonne volonté de l'homme. Ses lunettes sont roses : elles lui permettent de voir d'abord le bien. Quitte – c'est cela la justice de Dieu – à aider au redressement de l'homme qui a mal fait.

Revenons au dernier verset cité ici du livre de Job. Job dit : « Tu me chercheras et je ne serai plus. » Autrement dit, même dans sa révolte, Job pense qu'il continuera à compter pour Dieu, qu'il existera encore, pour lui, après sa mort. Le père Jacques Guillet, jésuite, écrit : « Malgré toute son agressivité, Job ne peut concevoir un Dieu capable de se désintéresser totalement de sa créature[3]. » Ainsi – et voilà où je voulais en venir – il n'y a pas rupture totale sur ce point entre l'Ancien et le Nouveau Testament, Dieu se soucie toujours des hommes. Même du pauvre Job.

Il est vrai que dans le « sermon sur la montagne », Jésus insiste à plusieurs reprises sur l'opposition entre les formules anciennes et son message : « On vous a dit... moi je vous dis. » Mais auparavant, il a souligné : « N'allez pas croire que je sois venu abolir la Loi ou les prophètes : je ne suis pas venu abolir, mais accomplir. » Plus tard, dans l'épître aux Romains, Paul dira que la Loi est « sainte » et que son commandement est « saint, juste et bon » (Rom. 7, 12).

Jésus est libre à l'égard de la Loi. Car on peut respecter la Loi à la lettre, en être dépendant, prisonnier et refuser du même coup l'impératif premier : l'amour. C'est ce que signifie Jésus quand il demande aux Juifs qui l'entourent s'ils refuseraient, même le jour du sabbat, de sauver une brebis. Il a affaire à des gens qu'une multitude de prescriptions, et de règles subtiles formulées par des rabbis rompus à la dialectique et la casuistique, ont trop souvent ligotés. Et il leur dit en somme : ne vous arrêtez pas au règlement, mais cherchez ce qui l'inspire. Ce qui l'inspire, c'est l'amour.

Ainsi quand les pharisiens (ou d'autres, car on sait que les évangélistes ont eu tendance à charger les pharisiens[4]) s'étonnent de voir ses compagnons prendre leurs repas sans s'être lavé les mains jusqu'au coude, conformément à la tradition, Jésus s'énerve. Car ses compagnons eux-mêmes ont été troublés par cette objection, à en croire l'Évangile de Marc (7, 1-23). Quand ils sont rentrés dans la maison, à l'écart de la foule, ils l'interrogent. Alors, Jésus : « Vous aussi, vous êtes à ce point sans intelligence ? Ne comprenez-vous pas que rien de ce qui pénètre du dehors dans l'homme ne peut le souiller, parce que cela ne pénètre pas dans le cœur, mais dans le ventre, puis s'en va aux lieux d'aisances » (notons le réalisme cru de ces propos, bien que ceux qui l'ont transmis et traduit l'aient, à coup sûr, quelque peu gommé). Et Jésus poursuit : « Car c'est du dedans, du cœur des hommes, que sortent les desseins pervers. » Voilà qui est net : ce qui compte, c'est le mouvement du cœur.

Ce n'est pas entièrement neuf : l'Ancien Testament a préparé le Nouveau. Mais c'est quand même une révolution (aucune révolution n'est née de rien, n'est surgie du néant). Le théologien protestant Heinz Zahrnt souligne à propos du passage d'Évangile que je viens d'évoquer : « On ne saurait surestimer la portée libératrice de ces phrases. Elles marquent un véritable tournant dans l'histoire des religions. Jésus, en les prononçant, ne fait pas que polémiquer contre tel point particulier (...), il bouleverse de fond en comble tout l'édifice législatif du rite mosaïque, avec la stricte séparation qu'il établit entre le pur et l'impur dans les domaines les plus divers de la vie : lieux et personnes, objets et aliments. Plus fondamentalement encore, c'est la distinction même, constitutive de toute religiosité antique, entre une sphère du sacré et une sphère du profane qui se trouve ainsi abolie par Jésus. Il en découle (...) aussi et avant tout une émancipation des hommes, libérés de la hantise permanente de la souillure et donc de la nécessité d'expier sans cesse[5]. »

Jean-Baptiste apparaît comme une transition entre l'Ancien et le Nouveau Testament. Il attache une grande importance à la Loi, ou plutôt à la morale qui en découle, même s'il remet en cause le culte tel que le pratiquent, à Jérusalem, les grands prêtres. Il paraît inspiré par le passage de la Genèse où Dieu se repent d'avoir fait l'homme parce que le cœur de celui-ci « à longueur de journée (...) n'était porté qu'à concevoir le mal » (Genèse 6, 5) – c'est alors que Dieu provoque le déluge, sauvant, avec les animaux, Noé et sa famille, parce que le vieux patriarche était intègre.

Jean-Baptiste semble penser qu'une telle éventualité est proche, que l'heure du jugement de tous les hommes est proche. Et ce sera un jugement terrifiant. Donc, il ne ménage pas ses auditeurs, cette « engeance de vipères » (Luc 3, 7-9). À ses yeux, ils ne méritent que d'être condamnés, exterminés, à moins qu'ils ne se repentent d'urgence. S'ils se repentent et se font, ensuite, baptiser, ils échapperont à la catastrophe finale, imminente. Mais qu'ils se hâtent ! Car, dit Jean-Baptiste, « vient le plus fort que moi », c'est-à-dire le Messie, le Christ. Et il le présente ainsi : « Il tient en main la pelle à vanner pour nettoyer son aire et recueillir le blé dans son grenier ; quant aux balles, il les consumera au feu qui ne s'éteint pas. » La balle, rappelons-le, est l'enveloppe du grain, qui est inutile ; Jean aurait pu dire tout aussi bien l'ivraie ; il lui promet donc le feu éternel. Sur quoi – humour involontaire –, Luc ajoute : « Et par bien d'autres exhortations encore, il annonçait au peuple la Bonne Nouvelle » (Luc 3, 16-18). Pas une Bonne Nouvelle pour tout le monde en tout cas !

C'est donc un Dieu sévère qu'annonce Jean-Baptiste. Jésus, lui, se présente au contraire comme un médecin. « Ce ne sont pas les gens bien portants qui ont besoin de médecins, mais les malades » (Marc 2, 17). Jean-Baptiste se réfère à la Loi, à la morale. Jésus montre d'abord de la compassion, manifeste sa confiance. C'est ce que signifie la formule de l'Évangile de Jean présentant Jésus « plein de grâce et de vérité » (Jean 1, 14). La grâce, du grec *kharis*, évoque le geste de se pencher favorablement vers quelqu'un, de rendre léger au lieu de condamner[6].

La célébrissime parabole du fils prodigue dit bien ce qu'est le Dieu de Jésus. On connaît l'histoire de ce garçon qui s'en va, quitte son père, usant de sa liberté, fait mille sottises, et revient, ayant subi pas mal d'épreuves, décidé à reconnaître ses fautes et ne demandant aucun traitement de faveur, bien au contraire : il est prêt à être traité comme un esclave, un serviteur, un « mercenaire ». Or, le père, aussitôt, organise une fête, commande que l'on apporte à son fils la plus belle robe, et ainsi de suite (Luc 15, 11-32).

Regardons cette histoire d'un peu plus près. Le père ne commande pas la fête parce que le fils revient en se repentant – il ignore à ce moment quels sentiments ou difficultés président à ce retour. Le père commande la fête seulement parce que son fils est vivant. Ce qui fait sa joie, ce n'est pas l'humiliation du fils reconnaissant sa culpabilité. C'est qu'il soit là, et qu'il ait survécu. Le fils, c'est vrai, exprime ses regrets. Mais c'est *après*. Après que son père l'a accueilli avec « tendresse ». Il n'y a donc pas de troc entre repentir et pardon, de petit commerce entre le pécheur et Dieu. C'est le « don » de Dieu, pur et simple, sans conditions.

Il ne faut pas sous-estimer les capacités d'accueil de Dieu ; elles sont sans limites, elles ne supposent pas la repentance préalable. Que le fils regrette d'avoir fait des sottises est certainement une bonne chose, ce n'est pas une condition, aux yeux de Jésus, pour que le père le prenne dans ses bras[7].

À aucun moment, c'est vrai, Jésus ne dit que le père, dans cette parabole, est Dieu. Mais cela ne fait pas de doute aux yeux de la plupart des commentateurs. Les plus réservés sur ce point pensent, comme l'exégète Joachim Jeremias, que l'amour de ce père est une image de l'amour divin: «C'est ainsi qu'est Dieu, si bon, si indulgent, si plein de miséricorde et si débordant d'amour[8].»

Reste que Jésus a parfois apostrophé ses auditeurs avec de rudes propos, et que certaines paraboles peuvent sembler contradictoires avec celle du fils prodigue.

C'est le cas de l'histoire dite du «grand festin» que l'on retrouve chez Matthieu (22,1-14) et Luc (14,15-24). On y voit un roi qui, mariant son fils, invite à la fête, d'une façon pressante, ses amis et ses relations. Lesquels ne viennent pas, assassinent même quelques-uns des serviteurs venus leur porter l'invitation (ce qui provoque la vengeance du roi: il envoie ses soldats tuer ces tueurs et même incendier leur ville). Le roi, alors, convie à la fête les premiers venus, ceux que les serviteurs trouveront sur leur chemin, «les mauvais comme les bons». Cette fois, la salle est comble, on peut faire la fête. Mais le roi remarque qu'un convive ne porte pas la tenue de noce. Et comme celui-ci est incapable de justifier cet impair, il se fait jeter à la porte, là où sont «les ténèbres et les grincements de dents». À quoi Matthieu ajoute: «Car beaucoup sont appelés mais peu sont élus» (Luc n'est pas aussi net).

Voilà donc un texte où Dieu, si le roi de cette parabole représente Dieu, est beaucoup plus sévère que le père du fils prodigue. Comment le comprendre? Par les conditions dans lesquelles ont été écrits les Évangiles. Le problème des compagnons de Jésus et des autres, qui sont les premiers missionnaires chrétiens en somme, qui vont répandre en Israël et hors d'Israël la bonne parole, est d'éviter que celle-ci soit mal interprétée, que leurs auditeurs (puis leurs lecteurs) estiment que chacun peut faire n'importe quoi, que leur conduite n'a guère d'importance, puisque Dieu, en fin de compte, pardonnera.

Cela sera plus vrai encore pour les missionnaires de la deuxième génération. L'Église naissante – pour respecter l'histoire, il faudrait plutôt écrire les Églises car subsistent entre elles des divergences que les Actes des Apôtres laissent percevoir, tout en les gommant –, le christianisme des premiers temps, vers l'an 70, est en crise. Il a perdu ses trois premiers leaders : Jacques, le frère de Jésus, chef de la communauté de Jérusalem, Pierre, qui a fini par lui céder la place pour aller évangéliser ailleurs, et Paul. Et leur succession est difficile à assurer.

À cette époque, le judaïsme est catastrophé par la ruine du Temple. Or, les Églises chrétiennes sont encore adossées, dans leur majorité, à des synagogues. Le danger d'éclatement du christianisme naissant s'en trouve renforcé. Il est vrai que le judaïsme va réagir assez vite, à l'initiative notamment d'un vieux rabbin pharisien de Jérusalem, Johanan ben Zakkaï, qui s'est, paraît-il, évadé de la ville dans un cercueil pour créer ailleurs une sorte d'école religieuse. Mais le judaïsme renaissant va exclure les *minim* (les hérétiques). Parmi lesquels les chrétiens, qui vont devoir quitter les synagogues. Les voilà à nouveau isolés, menacés d'éclatement. L'Évangile de Matthieu est mis par écrit, vers 80, à une époque où il convient de les rappeler à la discipline. Il prêtera donc à Jésus des paroles menaçantes. Ou, si elles ont été prononcées, leur donnera une portée générale.

Dans sa lettre aux Romains, écrite, semble-t-il, avant l'année 60 (alors que l'Évangile de Matthieu serait des environs de 80), Paul disait déjà : « Allons-nous pécher parce que nous ne sommes pas sous la loi, mais sous la grâce ? Certes non ! » (Romains 6,

15). Et la lettre de Jude, un texte un peu plus ancien, dû peut-être à un frère de Jésus, évoque les « impies qui travestissent en débauche la grâce de notre Dieu ».

Si l'on comprend bien, quelques-uns des premiers chrétiens se croyaient à peu près tout permis. Comme l'écrit Joachim Jeremias, l'Église des tout premiers temps « avait continuellement à faire face au danger que l'Évangile de la pure grâce de Dieu puisse être interprété comme libérant les baptisés de leurs devoirs moraux[9] ». Les chefs des communautés chrétiennes devaient donc tenir un double langage, moins contradictoire qu'il ne le paraît : à ceux qui étaient dans la détresse, ils parlaient de la bonté de Dieu ; à ceux qui se croyaient tout permis, ils rappelaient que la loi d'amour prêchée par Jésus est, en vérité, très exigeante : « Aimez vos ennemis », changez de vie, partagez, pardonnez, servez au lieu de vous faire servir. Mais elle est libératrice puisque le cœur a priorité sur la lettre de la Loi.

Jésus, objectera-t-on, a aussi parlé de haine. C'est le célèbre propos rapporté par Luc (14, 26) qui a donné du fil à retordre à tant de prédicateurs : « Si quelqu'un vient à moi et qu'il ne hait pas son père, sa mère, sa femme, ses enfants, ses frères, ses sœurs, et même sa propre vie, il ne peut être mon disciple. » Une phrase terrible qui n'excepte personne et qui est en contradiction, entre autres, avec l'épître de Jean (I, 4, 20-21) : « Si quelqu'un dit : "J'aime Dieu" et qu'il haïsse son frère, c'est un menteur : car celui qui n'aime pas son frère qu'il voit, comment aimerait-il Dieu qu'il ne voit pas ? Oui, voilà le commandement que nous avons reçu de Lui : que celui qui aime Dieu aime aussi son frère. » C'est clair.

Pour résoudre la contradiction entre les deux textes et rendre plus supportable le propos de Jésus rapporté par Luc, certaines traductions ont remplacé le verbe « haïr » par un autre : « S'il ne me préfère pas à son père, etc. »[10]. D'autres en atténuent le sens : dans l'Ancien Testament, assurent-ils, le mot « haïr » signifie simplement faire passer au second plan une attention ou une affection par rapport à l'autre ; mais les exemples qu'ils donnent ne sont pas probants[11].

Reste donc le mot « haïr ». Comment l'expliquer ? Le philosophe Luc Ferry rejette l'idée que le Christ « prêche en tant que telle la haine à l'égard des proches ». Mais, ajoute-t-il, « l'amour *seulement* humain lui semble détestable, et c'est cette exclusivité qu'il nous invite à haïr : sans la médiation d'une transcendance, d'un troisième terme qui unit, elle est vouée au néant[12] ». Ce qui est en cause, donc, c'est l'amour possessif, exclusif – répétons-le après Luc Ferry –, la passion. Le véritable amour, comme l'explique un autre philosophe, André Comte-Sponville, amène à « laisser être » ceux que l'on aime[13], à se dépouiller de soi-même à leur profit. Cet amour-là, écrit-il, « est le plus rare, le plus précieux, le plus miraculeux ».

Or, c'est l'amour dont le Dieu de Jésus donne l'exemple le plus total puisque, mourant entre deux voleurs, humilié et torturé, « il s'anéantit de lui-même, il se vida de lui-même », comme l'écrivit Paul aux Philippiens (2, 7). Nous voici à nouveau ramenés à l'Incarnation. Il faut ici citer Simone Weil : « L'amour consent à tout et ne commande qu'à ceux qui consentent (...) Dieu est abdication[14]. » Et aussi Augustin qui, évoquant l'amour de Dieu pour qui le trompe ou agit mal, lui fait dire : « *Odi tua, amo te* : Je hais tes œuvres, toi je t'aime[15]. »

Nous arrivons ici à l'essentiel : l'amour n'est pas un attribut du Dieu de Jésus parmi d'autres attributs, *l'amour c'est Dieu*. Il faut reprendre la formule du père François Varillon qui dit tout : Dieu n'est qu'amour. Et il insiste : « Tout est dans le *ne... que*. Je vous invite à passer par le feu de la négation car ce n'est qu'au-delà que la vérité se dégage vraiment. Dieu est-il Tout-Puissant ? Non, Dieu n'est qu'amour, ne venez pas me dire qu'il est Tout-Puissant. Dieu est-il Infini ? Non, Dieu n'est qu'amour, ne me parlez pas d'autre chose. Dieu est-il Sage ? Non. Voilà ce que j'appelle la traversée du feu de la négation, il faut y passer absolument. À toutes les questions que vous me poserez, je vous dirai : non et non, Dieu n'est qu'amour[16]. »

Et moi, je suis tenté d'écrire que tout est dit et de m'arrêter là. Mais il faut au contraire tirer quelques conséquences de ce qui vient d'être souligné.

D'abord en ce qui concerne l'homme et la Création. Si Dieu n'est qu'amour, il ne peut créer un homme tout fait : un homme tout fait ne serait pas libre ; aimer c'est respecter la liberté de l'autre, c'est le « laisser être » comme l'écrit André Comte-Sponville. L'épître de Jacques (on ne sait pas exactement s'il s'agit du frère de Jésus ou d'un autre mais on penche plutôt pour cette seconde hypothèse : le texte, en grec très classique, date des années quatre-vingt, semble-t-il, alors que Jacques a été tué dans les années soixante), l'épître de Jacques, donc, qualifie les hommes de « prémices de ses créatures » (1, 18), de commencements d'homme en quelque sorte. (Je sais que des théologiens expliquent que « prémices » signifierait la part noble, intacte et non dénaturée, d'une plante ou d'une personne, mais ce n'est guère le sens habituel du terme.)

L'homme doit se faire pour être. Et pour que l'homme soit, il doit créer, il doit faire. Il se fait en faisant. Hegel, Marx, bien d'autres encore, ont souligné que l'homme se réalise par le travail, la création. Supposons l'homme créé par Dieu dans un univers fini, un monde terminé. L'homme ne pourrait tout simplement pas être. Nous voici revenus à ce que nous disions de la Création inachevée (pp. 74-75). Dieu, parce qu'il n'est qu'amour, *ne* pouvait *que* faire apparaître un homme inachevé dans une Création inachevée. Avec tous les risques que cela comportait : à commencer par le mal, le terrible mal, dans le cœur de l'homme et dans la Création. Il n'y a pas d'amour sans risques. Et celui du mal est considérable.

Autre conséquence : la Trinité. Voilà une question difficile, un sujet « gravement scabreux », dit Henri Guillemin[17] évoquant surtout le Saint-Esprit. Un très grand théologien comme le père Yves Congar, dominicain que l'Église fit cardinal après l'avoir quelque peu persécuté, écrivait aussi : « Lourde tâche que celle de trouver un langage qui ne soit pas inadéquat pour exprimer un mystère qui, étant celui de Dieu dans son être intime, dépasse toute intelligence exercée[18]. » De quoi décourager d'aller plus loin !

Essayons quand même d'ouvrir quelques pistes. Et ayons d'abord une pensée émue pour les compagnons de Jésus au lendemain de la Pâque : s'il est un instrument qui manque dans leur boîte à outils intellectuels, c'est celui qui permettrait de concevoir la Trinité. Toute la tradition juive en effet est fondée sur l'affirmation de l'unité et de l'unicité de Dieu. C'est ce qu'on appelle le *Chema Israël* : « Écoute Israël ! Le Seigneur notre Dieu est le Seigneur un ! » (Deutéronome 6, 4). C'est l'affirmation essentielle, la prière quotidienne du juif. Au Moyen Âge, des chrétiens ont fait mourir atrocement des juifs qui ne voulaient pas dire autre chose, qui ne voulaient pas admettre la Trinité.

Il existait, certes, des groupes de trois dieux dans certaines religions anciennes, chez les Babyloniens, ou chez les Perses par exemple[19]. De même, on peut relever que, dans les conceptions de nombreux peuples, trois fonctions répartissaient les hommes et les dieux : fonction sacerdotale et de souveraineté (Jupiter chez les Romains), fonction guerrière (Mars), fonction de fécondité et de travail (Quirinus). Mais il y a loin de ces conceptions à la Trinité chrétienne.

Il existait aussi, dans l'Ancien Testament, quelques références au chiffre trois. Et, au long des siècles, par la suite, bien des chercheurs chrétiens les ont recensées avec passion. Augustin releva ainsi un passage de la Genèse (18, 1-33), celui qui concerne les négociations entre Abraham et Dieu qui voulait détruire

Sodome et y renonça en fin de compte, le patriarche lui ayant fait remarquer qu'il y avait peut-être, quand même, dix justes vivant dans cette ville. Le récit commence ainsi : « Le Seigneur apparut à Abraham (...) alors qu'il était assis à l'entrée de la tente dans la pleine chaleur du jour. Il leva les yeux et aperçut trois hommes debout près de lui. À leur vue, il courut à l'entrée de la tente à leur rencontre, se prosterna à terre et dit : "Mon Seigneur, si j'ai pu trouver grâce à tes yeux, veuille ne pas passer loin de ton serviteur." » Ainsi Abraham voit trois hommes et leur parle ensuite au singulier, comme s'il n'y en avait qu'un. Bien des spécialistes actuels expliquent que Dieu était accompagné, pour ceux qui écrivirent ce récit, de deux anges. Mais Augustin, futé, souligne : « Il y eut trois hommes dans cette vision, et il n'est pas question pour l'un d'eux d'une supériorité de vision, d'âge et de force. » Conclusion : « Pourquoi ne pas reconnaître ici, visiblement révélée à travers un être visible, l'égalité de la Trinité[20] ? »

Seulement voilà : Augustin, grand théologien de la Trinité, écrit ainsi au IVe siècle, mais les premiers compagnons de Jésus, trois siècles plus tôt, n'en étaient pas arrivés là. Il leur a d'abord fallu admettre que Jésus était Dieu, ce qui n'était pas facile, nous l'avons vu. Et dans sa première lettre aux Corinthiens, Paul écrivait encore : « Le chef de tout homme est le Christ (...) le chef du Christ est Dieu » (9, 3), ce qui subordonnait le Christ à Dieu. Ensuite, au fil des années s'était imposée la conception que Jésus n'était pas un homme divinisé, mais Dieu fait homme, qu'il existait donc deux personnes en un Dieu unique. Aller plus loin, considérer l'Esprit-Saint comme une personne, c'était encore plus compliqué.

La lecture des Actes des Apôtres est, à cet égard, édifiante. L'Esprit est très présent, certes, sous des noms divers : Esprit-Saint, Esprit du Seigneur, Esprit de Jésus. Il remplit divers rôles. Parfois c'est un don de Dieu parmi d'autres. Ainsi, Pierre, parlant à Césarée chez un centurion romain nommé Corneille, dit à propos de Jésus que Dieu « l'a oint de l'Esprit-Saint et de puissance » (10, 38). Et tandis que Pierre tient ces propos, d'ailleurs, l'Esprit-Saint « tombe » (10, 44) sur tous ses auditeurs, juifs ou non, qui se mettent à parler en langues diverses. De même, après un discours de Paul et de Barnabé à Antioche, des « païens » se convertissent, et des disciples sont « remplis de joie de l'Esprit-Saint ». Même si les textes actuels accordent des majuscules à l'Esprit-Saint, on voit bien qu'il ne semble pas tout à fait considéré, là, comme une personne. En revanche, quand Philippe (pas l'apôtre, bien connu, un autre Philippe qui était diacre) est incité à quitter Jérusalem pour Gaza afin d'annoncer la Bonne Nouvelle, celui qui lui parle est appelé soit « l'Ange du Seigneur » (Actes 8, 26), soit « l'Esprit » (Actes 8, 29). C'est donc une personne. On pourrait ainsi multiplier les exemples dans un sens ou dans l'autre. Concluons sur ce point : les premiers chrétiens ne voient pas très clair, même s'ils s'orientent vers la personnification de l'Esprit.

L'Évangile de Jean, postérieur à ces textes, marque un certain progrès. Certes, l'Esprit y est encore considéré comme un don « sans mesure » de Dieu à son Fils (Jean 3, 34). Mais Jésus annonce, dans le même Évangile, la venue du Paraclet, « l'Esprit-Saint que le Père enverra en mon nom (qui) vous enseignera tout et vous rappellera tout ce que je vous ai dit » (14, 26). Le grec *paraklêtos* signifie défenseur. Cette fois l'Esprit est personnalisé.

Donc, tous ces gens hésitent. Au IIIe siècle encore, le Grec Origène, théologien et exégète, s'arrache quelques cheveux car il ne sait plus où il en est. Dans le *Traité des principes*, son œuvre majeure, il écrit à propos du Saint-Esprit : « Est-il ou n'est-il point une créature ? Doit-il, oui ou non, être regardé comme le Fils de Dieu ? Ces points ne sont pas fixés » (Prœf. 4). Et Grégoire de Nazianze, qui bataille au siècle suivant contre les ariens, avoue : « Les hommes éclairés parmi nous sont loin de s'entendre sur l'idée qu'il faut se faire du Saint-Esprit. Les uns le regardent comme une énergie, les autres comme une créature. Ceux-ci voient en lui un Dieu; ceux-là suspendent leur jugement» (*Discours*, 31, 5). Il disait cela en 380. L'année suivante, le premier Concile de Constantinople tranchera, proclamera l'égale divinité du Père, du Fils et du Saint-Esprit, promulguera ce qu'on appelle «le dogme de la Trinité».

Bref, on a beaucoup balbutié. Quand Jean Guitton écrit, dans son *Jésus*, que «la croyance chrétienne a été sans variation» et «s'est fixée tout de suite, sans qu'on puisse discerner, du moins après la mort et la résurrection de Jésus, une genèse et un accroissement quelconques, si ce n'est dans les formules[21]», il ne manque pas d'assurance. Et les chrétiens d'aujourd'hui ont bien des excuses de ne pas voir très clair non plus dans l'affirmation de la Trinité. Elle est pourtant, semble-t-il, et nous arrivons au cœur de ce problème, une conséquence logique, nécessaire, de la vision de Dieu comme «n'étant qu'amour».

Thomas d'Aquin, qui, comme Augustin, a beaucoup étudié cette question, écrit que «le Saint-Esprit procède du Père et du Fils (...) comme l'amour qui les unit tous les deux» (Trinité q. 36 a 2). Essayons, sans trop d'assurance, d'expliquer. Si Dieu n'est qu'amour, il ne peut pas être enfermé dans une unité monolithique; il ne peut pas être un. Sinon, il s'aimerait lui-même, ainsi qu'on l'a dit (p. 70) en évoquant le narcissisme, qui est le contraire de l'amour. Donc Dieu est Père, engendre le Fils. Pas *après* lui: dans le même temps qu'il existe. Il existe à deux depuis toujours. Cela est relativement simple. Mais deux personnes qui s'aiment rêvent de ne faire qu'un, de se fondre l'une dans l'autre. Et si elles y parvenaient (ce qui est impossible à l'homme et introduit la souffrance dans l'amour le plus passionné), cela signifierait qu'elles s'aimeraient elles-mêmes. Retour à notre case départ : celle du narcissisme. Pour aimer, comme dit la chanson, il faut être deux. Et non un.

Mais, s'agissant de Dieu, donc du pur amour (Dieu « n'est qu'amour »), il faut être trois. Parce qu'un Père qui donne tout à son Fils se retrouve en lui (narcissisme), parce qu'un Fils qui a tout reçu du Père se retrouve en lui (narcissisme). C'est parce que l'Amour est total et pur qu'une troisième personne existe en Dieu.

On a coutume de dire que l'Esprit procède de l'amour du Père pour le Fils et de l'amour du Fils pour le Père. Très bien. Mais cela pourrait n'être qu'un sentiment qui les unit et non une personne. J'espère avoir montré, après d'autres, en tâtonnant, qu'il y a une logique dans ce qu'on appelle le Mystère de la Trinité : le Saint-Esprit ne peut être qu'une personne. Sinon, Dieu est narcissique. Il n'est plus l'amour. Il n'est pas le Dieu de Jésus. Et tout ce que l'on a lu dans les pages précédentes n'a aucun sens.

Bien entendu, si Dieu est l'amour, ces trois personnes ne peuvent être qu'égales en toute chose. Et si elles sont distinctes, elles ne peuvent être qu'une, réunies dans la perfection de l'amour non narcissique. Si Dieu n'était pas un, il ne serait pas Dieu, mais un dieu.

Enfin, on peut dire aussi que ces trois personnes correspondent à trois façons, pour Dieu, d'être présent dans l'histoire, notre histoire : le Père à l'origine, le Fils par l'Incarnation, et le Saint-Esprit demeurant avec les hommes (ce qui ne signifie pas que chacune des trois personnes soit spécialement chargée de l'une des modalités de l'action de Dieu ; encore une fois, si Dieu est l'amour, il ne peut être qu'un en trois, ce n'est pas une question de forme, d'apparence, comme on dirait d'une fée qui change d'allure selon les besoins de son activité).

Et il faut conclure que si Dieu n'était pas trinité, c'est-à-dire « ouvert » à tout autre, on ne pourrait plus dire que « Dieu s'est fait homme pour que l'homme devienne Dieu». La divinité serait une réalité fermée, un domaine réservé. Inaccessible à l'homme.

On pourrait, bien entendu, approfondir plus longuement ce «mystère» (mot dangereux dans la mesure où la plupart des gens le traduisent par incompréhensible, façon pour les chrétiens de s'en tirer par une pirouette pour répondre aux questions difficiles[22]). Mais il s'agissait ici de montrer comment la conception d'un Dieu-trinitaire était la conséquence logique de la révélation par Jésus d'un Dieu-amour.

Reste, presque en annexe, entre parenthèses, à examiner une question non essentielle mais qui tourmente bien des chrétiens: pourquoi leur fait-on prier un Dieu-amour en lui disant: «Ne nous soumets pas à la tentation», comme s'il prenait plaisir à tendre à l'homme des embûches?

Voilà un sujet qui a fait couler des flots d'encre. En 1969, le père Jean Carmignac, publiant un gros volume (plus de six cents pages bien serrées) sur le «Notre Père», recensait dans une bibliographie la plupart (semble-t-il) des livres qui avaient traité ce thème, et cette bibliographie occupait soixante-dix pages[23]!

Le «Notre Père» est enseigné par Jésus à ses disciples dans l'Évangile de Luc (11, 1-4) et plus longuement dans celui de Matthieu (6, 9-13). Il est très inspiré d'une prière juive, le *Kaddish*. On trouve dans d'autres prières juives, les Bénédictions (appelées *Berakot*), des formules proches du Pater. Par exemple, à propos du problème soulevé ici: «Ne me fais pas entrer au pouvoir du péché, ni au pouvoir de l'iniquité, ni au pouvoir de la tentation, ni au pouvoir du déshonneur» (Berakot B. 60 b). On relève ainsi, dans le «Notre Père», des formules héritées de l'Ancien Testament, lequel concevait aisément que Dieu mît à l'épreuve ses fidèles (l'un des cas les plus célèbres étant Abraham)[24].

On retrouve une idée voisine chez Paul, dans sa première lettre aux Corinthiens: «Aucune tentation ne vous est survenue qui passât la mesure humaine. Dieu est fidèle : il ne permettra pas que vous soyez tentés au-delà de vos forces. Avec la tentation, il vous donnera le moyen d'en sortir et la force de la supporter » (10,13). L'idée que la tentation vient de Dieu, ou est permise par Dieu, est donc encore admise ; mais, ajoute Paul, il nous donne les moyens d'y résister, il offre la solution en même temps qu'il pose le problème. Là encore, la position n'est pas très claire.

Alors ? Les textes, très proches, de Luc et Matthieu ont provoqué, répétons-le, d'infinies querelles de spécialistes : le « Notre Père » était-il dit par Jésus en hébreu ou en araméen ? Nous n'allons pas entrer dans ces disputes, d'autant que l'on ne dispose aujourd'hui que des textes grecs. Or, après avoir longuement examiné toutes les hypothèses, le père dominicain François Refoulé conclut : « La traduction la plus respectueuse du texte grec devrait donc sans doute se formuler approximativement de la manière suivante : "Ne nous laisse pas tomber au pouvoir de la tentation mais délivre-nous du Mal" (ou du Mauvais). Cette traduction est, du reste, celle proposée par de nombreux exégètes : J. Delorme, A. George, etc. On pourrait aussi traduire : "Sans nous laisser tomber..." ou "Ne permets pas que nous tombions"[25]. »

On aura noté toutes les précautions de langage, les signes de l'embarras, l'emploi du conditionnel, les « sans doute » et les « approximativement ». Mais si l'on adopte cette conclusion, on reste dans la logique de l'Évangile, on est plus près de la vision d'un Dieu-amour qui protège ses fidèles de la tentation que de celle d'un Dieu-examinateur qui les y soumet. Il faut donc regretter cette traduction œcuménique du « Notre Père » qui heurte et inquiète tant les chrétiens.

Cette (importante) parenthèse refermée, il reste à traiter une autre question, très complexe, mais capitale : pourquoi un Dieu qui n'est qu'amour aurait-il jugé nécessaire le sacrifice de son Fils, cet autre lui-même, afin d'effacer les fautes de l'humanité ?

CHAPITRE VI

La croix : un sacrifice ? Pour effacer quel péché ?

Depuis l'origine des temps, les hommes qui avaient peur, qui craignaient pour eux ou un proche, ont été tentés de vaincre ces peurs en s'adressant à une puissance magique, bienveillante ou supposée maléfique, pour lui demander protection ou pardon. En échange, ils lui offraient des présents – donnant, donnant – et parmi ces présents figurait parfois, souvent même, la vie de l'un des leurs, dont le sang était versé au profit de tous. C'était une opération contractuelle, le sacrifice, liant les hommes et les dieux.

Le sacrifice avait parfois d'autres fonctions.

Dans le védisme, la très ancienne religion de l'Inde, il garantissait tout simplement le bon ordre du monde : on nourrit les dieux pour accroître leurs forces afin qu'ils puissent continuer à travailler correctement, assurer, notamment, la régularité des phénomènes célestes[1].

Dans la plupart des sociétés antiques, qui croyaient en plusieurs dieux, le sacrifice servait à resserrer les liens entre les membres du groupe humain. Ainsi en Grèce, où l'on offrait aux dieux les os brûlés et calcinés des animaux, on réservait la viande, denrée périssable, aux hommes qui se la partageaient. Ou bien l'on prononçait un serment sur le corps de la personne sacrifiée, afin de lier des conjurés par une sorte de fraternité du sang : Catilina, le célèbre conspirateur romain dénoncé par Cicéron, aurait, pour s'assurer la fidélité de ses complices, immolé un enfant, puis prononcé un serment sur ses entrailles avant de toucher celles-ci et d'inviter les autres à faire de même[2]. Enfin, certains peuples pratiquaient le sacrifice pour établir la communication avec les ancêtres[3].

S'il avait donc des objectifs divers, le sacrifice revêtait aussi des formes qui ne l'étaient pas moins (ici l'on offre, là on mange ; ici l'on sacrifie des animaux, là des hommes). Mais il est présent dans toute l'histoire des hommes, dans toutes les grandes religions.

Il l'est aussi dans le judaïsme. D'une manière complexe, certes. Mais permanente. La Genèse expose ainsi (4, 3-5) que Dieu préférait les sacrifices sanglants que lui offrait Abel aux produits du sol que lui présentait Caïn, premier des cultivateurs en somme.

Une préférence sur laquelle on s'est beaucoup interrogé. Et qui prend en compte l'homme plus que la nature du sacrifice : Caïn était l'aîné, Abel le cadet ; l'auteur du texte entendait peut-être montrer que la préférence de Dieu ne tient pas à la préséance de la naissance...

Il est aussi question dans la Bible de sacrifices humains. Le livre des Juges raconte l'histoire d'un certain Jephté, fils d'une prostituée et brigand audacieux, vivant à une époque où les fils d'Israël faisaient « ce qui est mal aux yeux du Seigneur » (10, 6), c'est-à-dire adoraient de nombreux faux dieux. Le Seigneur, furieux, dresse contre eux des ennemis. Et ceux-ci, bien sûr, l'emportent. La détresse d'Israël est extrême. On finit par demander le secours de ce brigand de Jephté qui, après avoir tenté en vain de négocier avec les ennemis, fait un vœu. Il dit à Dieu : « Si vraiment tu me livres les fils d'Ammon, quiconque sortira des portes de ma maison à ma rencontre quand je reviendrai sain et sauf de chez les fils d'Ammon, celui-là appartiendra au Seigneur et je l'offrirai en holocauste. » Et Dieu lui accorde la victoire sur les fils d'Ammon. Malheureusement, quand le vainqueur rentre chez lui, c'est sa fille qui sort de sa maison en dansant et jouant du tambourin. Il la tue, après l'avoir laissée deux mois pleurer dans la montagne sur son triste sort (11, 29-40). Ce sacrifice a donc eu une double fonction, classique : réparer une faute (l'adoration de faux dieux), obtenir l'appui de la divinité.

On connaît mieux, en sens inverse, l'histoire d'Abraham (Genèse 22,1-19) à qui Dieu demande de tuer son fils Isaac, mais dont il retient finalement le bras au moment où le patriarche allait obéir. C'est, comme l'écrit Thomas Römer, professeur d'Ancien Testament à l'université de Lausanne, « une polémique très fine contre les sacrifices humains ». Auparavant, dans des situations extrêmes, le peuple d'Israël pratiquait ceux-ci, comme ses voisins[4], offrant notamment les premiers-nés. Dans les civilisations anciennes, pour reconnaître la primauté de la divinité, il était d'usage de sacrifier les prémices de toutes choses, la première partie de la moisson par exemple.

Les sacrifices humains ne sont pas les seuls à être ainsi condamnés, en fin de compte, par l'Ancien Testament. Les sacrifices d'animaux également dans la mesure où ils sont pratiqués comme une sorte de « droit de péage » permettant de continuer sa route sans changer de style de vie. On trouve, chez certains prophètes, des textes très violents où Dieu explique qu'il n'a que faire des offrandes de personnes injustes ou méchantes. Par exemple, Amos : « Ces veaux que vous sacrifiez, je ne les regarde pas » (5, 22). Et encore Osée : « Je prends plaisir à la bonté et non aux sacrifices » (6, 6). Et Isaïe : « Je suis rassasié des holocaustes de béliers et de la graisse des veaux gras. (...) Cessez de m'apporter de vaines offrandes ; c'est une odeur abominable ! (...) Cessez de faire le mal ! Apprenez à faire le bien et recherchez la justice ! (...) Assistez l'orphelin devant le tribunal, et défendez la veuve » (1, 11-17).

On ne saurait imaginer dénonciation plus définitive des sacrifices, du caractère magique qu'on leur attribue. Et pourtant le Lévitique, un texte plus récent de l'Ancien Testament, décrit de manière détaillée les rites du sacrifice, en sept chapitres, comme étant des règles imposées par Dieu. Et ce texte (1-7) insiste beaucoup plus sur le respect minutieux de ces règles que sur les sentiments profonds de celui qui offre le sacrifice.

Que s'est-il passé qui explique cette contradiction entre les prophètes et ce livre très juridique ? Ceci : le prophétisme, après l'exil du peuple juif, est en voie de disparition ; il n'y a plus de roi et le pouvoir politique des prêtres d'Israël s'est accru. Les sacrifices, le respect des règles, c'est leur affaire. Ce qui a pour effet, par ailleurs, de limiter ces sacrifices : ils se les réservent. Mais en même temps, ils en tirent des bénéfices pécuniaires, non négligeables. Importants même.

Un autre livre de la Bible, le Deutéronome, vers le VIIe siècle avant Jésus-Christ, fixe de nouvelles règles, centralise le culte, et notamment les sacrifices, à Jérusalem. Les grands prêtres s'en réservent ainsi l'exclusivité. Et à l'époque de Jésus, « l'odeur abominable » dont parlait Isaïe règne toujours autour du magnifique Temple construit par Hérode : les hommes pieux viennent offrir un animal à Yahvé pour se réconcilier avec lui, un prêtre porte le sang du sacrifice jusqu'à l'autel, et celui qui s'est ainsi réconcilié avec Dieu invite ses proches, ses compagnons, à manger avec lui les restes de viande.

Il subsiste, certes, une tradition antisacrificielle depuis que les prophètes ont tonné contre le caractère magique prêté au sacrifice, mais celui-ci reste au cœur du culte. Et cette réalité vécue chaque jour, mais surtout lors des grandes fêtes, est beaucoup plus forte que le souvenir d'Osée, Amos, et autres Isaïe. Les grands prêtres, autrement appelés sadducéens, contrôlent tout le commerce que nécessitent ces rites. Ils ont donc tout intérêt à leur maintien et à leur développement.

Telle est la tradition et telle est la situation quand

les compagnons de Jésus s'interrogent, après sa crucifixion, et quand ils acquièrent la conviction qu'il est ressuscité. Comment interpréter la mort de celui qui, à leurs yeux, est plus qu'un prophète, bientôt le fils de Dieu, Dieu lui-même ? Rude épreuve pour l'esprit. L'idée du sacrifice finira par surgir. D'autant plus aisément que de nombreuses mythologies et de multiples traditions ont imaginé qu'un héros, un sauveur, un Superman dirait-on aujourd'hui, viendrait arracher l'humanité à son malheur, serait-ce au péril de sa vie. Certes, les Juifs n'avaient pas pensé que le Messie attendu par eux irait jusque-là, mais Israël n'est pas un monde clos et imperméable à ce qui se dit ailleurs, et les disciples de Jésus se recruteront bientôt chez les voisins.

Or, cette idée de sacrifice est foncièrement opposée à l'enseignement de Jésus. Le mot de sacrifice, dans les rapports de l'homme et de la divinité, suggère que l'homme, coupable, doit se faire pardonner, que Dieu, impassible, ne se préoccupera pas de l'homme si celui-ci ne lui offre rien en échange. Que Dieu enfin peut intervenir dans l'histoire des hommes par des actes de puissance, des actes magiques, des miracles et ainsi de suite. Alors qu'il limite sa puissance parce qu'il respecte notre liberté.

Reste à savoir pourquoi un sacrifice semblait nécessaire afin de « sauver » l'humanité, quelle faute il fallait réparer, et s'il était nécessaire, à cette fin, que le Fils de Dieu en personne prenne le risque de se faire torturer et assassiner. Autrement dit, de quel salut est-il question, et que signifie ce qu'on a pris coutume d'appeler le sacrifice de la croix ? Nous allons examiner successivement ces deux points difficiles.

Dans la tradition chrétienne, le mal du monde, dont il fallait délivrer l'humanité, a une cause presque unique : c'est le péché originel.

On ne résumera pas ici le très célèbre chapitre 3 de la Genèse qui raconte la faute d'Adam et Ève et leur condamnation par Dieu, lequel, dans sa sollicitude (ou sa prudence ?), confectionne quand même pour eux des tuniques de peau et les en revêt (3, 21) avant de les chasser du jardin d'Éden. Mais on soulignera que cette référence à la faute d'Adam est toujours de mise dans l'Église catholique. Et cette histoire de tunique crée un lien, qui marquera de nombreuses générations jusqu'à nos jours, entre péché originel et sexualité.

Le *Catéchisme de l'Église catholique* publié en 1992 par Rome, qui reconnaît que le récit de la Genèse utilise « un langage imagé » (§ 390), demande cependant que l'on reconnaisse « Adam comme source du péché » (§ 388) et ajoute que « toute l'histoire humaine est marquée par la faute originelle librement commise par nos premiers parents » (§ 390). Il dit bien : nos premiers parents.

L'encyclique *Veritatis Splendor* de Jean-Paul II évoque, elle, « le mystérieux péché originel commis à l'instigation de Satan » (§ 1) et « Adam, le premier homme » (§ 2). Dans la même ligne, le texte de la Commission théologique internationale sur la Rédemption publié en 1996 parle des « offenses commises par Adam et par la postérité d'Adam[5] ». Il dit bien : Adam et sa postérité.

Ce qui appelle plusieurs remarques :

1°) En réalité, pour les spécialistes de la Bible, Adam n'est pas le nom d'une personne ; il représente les hommes en général. Comme le souligne Jean Delumeau, « dans les textes bibliques, Adam est employé 539 fois au sens collectif d'"homme" et plus précisément de "terreux" et moins d'une dizaine de fois comme nom propre[6] ». Mais cela, les textes actuels que je viens de citer ne le précisent pas. Même si, parlant d'Adam et de sa postérité, ils soulignent l'unité fondamentale du genre humain, ils entretiennent, en utilisant ces termes, une redoutable confusion, et il n'est pas nécessaire d'être érudit pour savoir que toute l'humanité ne descend pas d'un seul homme.

2°) Le péché originel ne joue aucun rôle dans l'Ancien Testament. Il apparaît seulement dans le récit de la Genèse, puis, peut-être (car d'autres interprétations sont possibles), dans celui de l'Exode où Yahvé, concluant une nouvelle alliance avec Israël sur le mont Sinaï, se révèle « comme un Dieu jaloux qui punit la faute des pères sur les enfants jusqu'à la troisième et la quatrième génération » (Ex. 20, 5).

Or, le récit de la Genèse, même s'il est placé en tête de l'Ancien Testament, n'est pas le plus ancien (la Bible n'est pas l'histoire d'un peuple, mais un rassemblement d'ouvrages divers). La Genèse date du VIe siècle avant Jésus-Christ. Tout va mal alors pour les Juifs. Ils sont déportés à Babylone. Ils savent qu'à Jérusalem il n'y a plus de Temple. Ils ont le sentiment d'être rayés de l'histoire, abandonnés par Dieu, leur Dieu, alors que les idoles des Babyloniens entretiennent avec ceux-ci de bonnes relations marquées par des fêtes et des processions brillantes. C'est dans ce climat que naît la Genèse. Il n'est guère étonnant que les Juifs trouvent cette explication à leur malheur : ils la trouvent dans des récits anciens. Ainsi naît l'histoire d'Adam, commode bouc émissaire. Qui disculpe ses héritiers du mal du monde. Mais qui en disculpe aussi Dieu : les hommes sont responsables de ce qui leur arrive.

Ensuite, les situations et les mœurs évoluent. Les sociétés primitives croyaient en la justice tribale, en la culpabilité collective et en la punition collective (l'actualité nous rappelle chaque jour que des traces de cette mentalité primitive subsistent encore chez l'homme dit moderne). Cependant, bien avant Jésus-Christ, se répand l'idée que chacun n'est responsable que de ses propres actions. C'est ce que vont répéter de multiples textes bibliques :

« Les pères ne seront pas mis à mort pour les fils ni les fils pour les pères » (Deutéronome 24, 16).

« En ces jours-là on ne dira plus : les pères ont mangé les raisins verts et les dents des enfants en ont été agacées, car chacun ne mourra que pour son propre péché » (Jérémie 31, 29-30).

« La parole de Dieu me fut adressée en ces termes : Qu'avez-vous à formuler ce proverbe : les pères ont mangé du verjus et les dents des enfants en ont été agacées ? Vous ne devez plus répéter ce proverbe, car c'est la personne coupable qui mourra et elle seule (...). Le fils ne portera pas la faute du père ni le père la faute du fils » (Ézéchiel 18, 1-20).

Arrêtons là les citations. Elles sont claires. L'idée d'un péché originel dont la responsabilité s'étendrait à toutes les générations est rejetée par l'Ancien Testament.

3°) Jésus n'a parlé à aucun moment du péché originel, n'y a pas fait la moindre allusion. Il n'a jamais, si l'on se fonde sur ses propos rapportés par les Évangiles, prononcé le nom d'Adam. Il a, au contraire, rejeté l'idée de culpabilité héréditaire :

« C'est d'après tes paroles que tu seras justifié et c'est d'après tes paroles que tu seras condamné » (Matthieu 12, 37).

Il est vrai que l'on peut trouver dans l'Évangile de Jean une phrase assez mystérieuse de Jésus, dialoguant avec Nicodème, ce notable de Jérusalem qui était impressionné par ses miracles. « En vérité, en vérité, dit Jésus, si quelqu'un n'est pas engendré d'eau et d'Esprit, il ne peut entrer dans le royaume de Dieu » (Jean 3, 5). Le double « en vérité » manifeste qu'aux yeux de l'évangéliste, il s'agit d'une affirmation importante. L'Église catholique, longtemps, en se basant sur la mention de l'eau, y a vu une allusion au baptême, d'autant que, selon le même évangéliste, Jésus baptisait (Jean 3, 22) ; d'où beaucoup ont conclu que le baptême existait parce que chacun devait être sauvé. Sauvé de quoi ? Du péché originel.

Les spécialistes actuels ont plutôt tendance à rapprocher cette phrase de Jésus d'une prophétie d'Ézéchiel où l'eau est assimilée à l'Esprit (Ézéchiel 36, 25-27) : c'est l'Esprit de Dieu qui va renouveler le cœur des hommes[7]. Nous voici donc assez éloignés de l'idée de péché originel.

4°) C'est – dans les textes du moins – Paul qui fait réapparaître Adam. Il écrit dans sa première lettre aux Corinthiens (15, 21-22) : « La mort étant venue par un homme, c'est par un homme aussi que vient la résurrection des morts. De même que tous meurent en Adam, ainsi tous revivront dans le Christ. » Et dans sa lettre aux Romains (5,12-21), il reprend le même thème. Mais avec quelques précisions intéressantes. Il dit par exemple : « La mort a régné d'Adam à Moïse, même sur ceux qui n'avaient pas péché d'une façon semblable à la transgression d'Adam. » Autrement dit, un climat de mort a régné après Adam ; une contagion de mort a existé. À quoi Paul va opposer dans un autre verset (5,17) une contagion de vie due à l'action de Jésus. Et surtout, évoquant l'entrée du péché « par un seul homme » dans le monde, « et par le péché la mort », il écrit qu'en raison de cette contagion de mort, « tous ont commis des péchés » (5, 12). Autrement dit, on peut comprendre (il y a sur ce sujet une querelle de traducteurs) qu'à la suite d'Adam, tous les hommes ont commis des péchés et que Paul ne nie pas la responsabilité individuelle[8]. Donc ce n'est pas, pas encore, même si l'on s'en approche, l'idée d'un péché originel qui cascaderait, héréditairement, de génération en génération. Et, de toute manière, ce texte de Paul respire surtout l'espérance : grâce à Jésus, dit-il, « la multitude sera constituée juste » (5, 19).

5°) Le véritable « inventeur » du péché originel est Augustin. Dans les tout premiers siècles, en effet, on ne se préoccupe guère de ce problème, même si Irénée, notre Smyrno-Lyonnais déjà rencontré, et quelques autres s'interrogent sur la faute d'Adam. Il y a quasiment unanimité dans les textes de l'époque pour considérer que le péché est une affaire individuelle, pas du tout héréditaire[9].

Mais voici qu'arrive dans la seconde moitié du IVe siècle, et jusqu'aux débuts du Ve, Augustin, qui en a fait d'abord, à ce qu'il dit, de toutes les couleurs, et que son passé a donc convaincu de la faiblesse de la nature humaine. Augustin a été aussi disciple de Mani, lequel voit le monde tout en noir (cf. ci-dessus pp. 59-60), ce que semblent alors confirmer les événements puisque l'Empire romain est bousculé par les invasions[10] et que les Goths d'Alaric vont finir par entrer dans Rome en 410. Rien ne va plus, quand Augustin expose qu'un Dieu implacable a voué l'humanité au malheur en raison du seul péché d'Adam, dont les fils et les filles se transmettent la faute à travers l'acte sexuel, souillé par ce qu'il appelle la concupiscence, et qui ne se limite pas au sexe mais aux multiples convoitises auxquelles cède l'homme.

Augustin écrit qu'Adam, en péchant, a « comme vicié l'humanité dans sa racine (...). Ainsi tout homme (issu) de lui et de son épouse également condamnée après avoir été l'instrument de sa faute, qui naîtrait par la voie de cette concupiscence charnelle (...) contracterait le péché originel. Péché par lequel, à travers des erreurs et des douleurs diverses, il serait entraîné à ce dernier supplice qui ne doit pas avoir de fin[11] ».

Péché originel : le mot est lancé, qui connaîtra un formidable succès. Et il est entouré d'autres mots effrayants. Avant le sacrifice de Jésus, expose Augustin dans ce même texte, « non seulement l'humanité gisait dans le malheur, mais elle s'y roulait, et d'un malheur se précipitait dans un autre ».

Augustin donne l'image d'un Dieu légaliste qui pèse et mesure les actes, les pensées et les intentions comme un être humain, un créancier qui entend se faire rembourser une dette considérable, et qui, puisqu'il est tout-puissant, voue l'humanité, au moins jusqu'au « sacrifice de la Croix », aux pires malheurs. Un Dieu qui, en outre, avait prévu tout ce malheur et qui ne s'est pas privé, néanmoins, de mettre en scène cette tragédie en créant l'homme : « Dieu n'ignorait pas, au demeurant, que l'homme pécherait et que, désormais voué à la mort, il engendrerait des fils destinés à mourir, et ces mortels porteraient si loin leur férocité criminelle que les bêtes, sans raison, sans volonté (...), vivraient entre elles en leur espèce avec plus de sécurité et de paix que les hommes dont la race était née d'un seul[12]. » Autrement dit, l'évêque d'Hippone se fait du monde animal une vision quasi idyllique et fausse. Tandis que les hommes... Et tandis que Dieu, ayant prévu toutes ces catastrophes, n'y fait pas obstacle.

Alors que les Vandales débarquent en Afrique, le vieux prélat trouve encore la force d'écrire : « Telle est la foi catholique qui affirme la justice de Dieu, même en face de toutes ces souffrances et tortures subies par les petits enfants[13]. » Nous voilà bien loin du Dieu annoncé par Jésus.

Augustin, dont l'œuvre immense et puissante est très complexe, on l'a déjà dit (il est aussi un chantre de l'amour de Dieu et de l'amour pour Dieu), aura, sur cette conception du péché originel, beaucoup de disciples : il va influencer la théologie et la pratique des Églises chrétiennes (surtout en Occident) jusqu'à nos jours. Calvin écrira qu'il est « sans contredit supérieur à tous les dogmes[14] » et le citera des milliers de fois dans ses propres œuvres. Les jansénistes le couvriront de fleurs. Les plus grands artistes le représenteront. Bossuet l'appellera « le docteur des docteurs ». Surtout, le Concile de Trente, au printemps de 1546, reprenant en partie des textes précédents, établira le dogme du péché originel, sans trop en débattre, en refusant toutefois d'identifier ce péché à la « concupiscence ». Le canon article 2 du Décret conciliaire sur le péché originel affirme que le péché d'Adam a atteint tous les hommes, le canon 3 qu'il s'est transmis « par propagation et non par imitation », autrement dit qu'il est héréditaire, et le canon 4 précise que les enfants nouveau-nés eux-mêmes portent en eux ce péché, aussi longtemps qu'ils n'ont pas été baptisés, car le baptême efface vraiment le péché originel, souligne le canon 5.

La hiérarchie de l'Église catholique s'en tiendra toujours là. Le pape Paul VI, dans sa profession de foi solennelle du 3 juin 1968, écrira : « Nous tenons donc, avec le Concile de Trente, que le péché originel est transmis avec la nature humaine, par propagation et non par imitation, et qu'il est intérieur et propre à chacun[15]. »

Et l'on a vu au début de ce chapitre que le pape Jean-Paul II et le *Catéchisme de l'Église catholique* restaient sur la même ligne. En 1985 pourtant, le cardinal Ratzinger, préfet de la Congrégation pour la doctrine de la foi (ex Saint-Office), reconnaissant qu'il existait des « difficultés théologiques et pastorales » à propos du péché originel, jugeait cette expression « modifiable ». Mais, ajoutait-il, « il convient de procéder avec beaucoup de précaution » et les difficultés en question ne tiennent pas au vocabulaire, elles sont « de nature plus profonde »[16]. En effet.

6°) Avant d'étudier ce que le cardinal Ratzinger appelle modestement les « difficultés pastorales et théologiques », il convient d'examiner les conséquences de la doctrine du péché originel sur la pensée et la pratique de l'Église, en divers domaines. Elles ont été considérables et malheureuses :

• Ainsi le travail humain a été méprisé, à partir du récit de la Genèse et de son interprétation. Sans le péché originel, ont écrit nombre de prélats ou de théologiens, le travail et la mort n'existeraient pas. « La Providence a créé le travail en punition du péché[17] », lit-on par exemple dans le mandement de Carême de l'évêque de Cahors en 1845.

• De même ont été méprisées les femmes. Augustin, après les avoir, à ce qu'il dit, beaucoup fréquentées, avait montré le chemin : « Qu'il s'agisse d'une épouse ou d'une mère, où est la différence ? demande-t-il. C'est toujours Ève la tentatrice que nous devons redouter en n'importe quelle femme[18]. » Et beaucoup d'autres ont suivi Augustin. Il est vrai que, dès la fin de l'Antiquité, l'Église d'Occident a largement contribué à une évolution positive du statut de la femme dans le mariage, mais on pourrait remplir des livres, qui à leur tour rempliraient des bibliothèques, avec tous les textes ecclésiastiques méprisants pour la femme. Plus grave : le droit canon, au XIIe siècle, autorise les maris à battre leurs femmes[19]. À la même époque, pour un décès, les cloches des églises sonnent le glas en faisant entendre trois tintements pour les hommes, à l'image de la Trinité, et deux pour les femmes, car le nombre deux est regardé comme un symbole du mal. Au XVIIIe siècle, un cantique fait tenir aux fidèles ces propos scandaleux :

Je sors de ce premier rebelle
qui perdit sa postérité.
Et ma mère aussi criminelle
Me conçut dans l'iniquité[20].

• Dans la même ligne, on méprise la sexualité. Même si Thomas d'Aquin puis le Concile de Trente refusent de lier péché originel et « concupiscence », c'est une vision négative du plaisir sexuel que transmet la tradition de l'Église. Au hasard, pris parmi bien d'autres, un texte d'Innocent III, pape au XIIe siècle : « Les rapports conjugaux n'ont jamais lieu sans un certain désir de la chair et la chaleur d'une répugnante concupiscence, qui souille et corrompt les semences fécondées. » Comme on l'a déjà dit (ci-dessus p. 65), le pape Jean-Paul II, après d'autres en notre siècle, a souligné la légitimité du plaisir sexuel. Mais le même pape, parlant de Marie lors d'une audience accordée à des pèlerins, à Rome, le 10 juillet 1996, a déclaré : « La désignation de Marie comme "sainte, toujours vierge, immaculée", attire l'attention sur le lien entre sainteté et virginité[21]. » Faut-il comprendre que la virginité est un moyen d'une particulière efficacité, le meilleur, pour parvenir à la sainteté ? Il est vrai qu'elle peut signifier une plus grande disponibilité pour Dieu, être une expérience très riche de relation mystique avec lui. Mais l'insistance sur le lien entre virginité et sainteté reste significative.

• Enfin, au nom de la même doctrine, on s'est beaucoup interrogé au sujet des enfants. Voici en effet un bébé à sa naissance. Il est, si les mots ont un sens, innocent de toute faute personnelle. Or, il peut souffrir et même souffrir beaucoup : c'est le problème du « malheur innocent ». Ce malheur est dû, selon la théologie classique, au péché originel. Et puis, si ce nouveau-né meurt avant d'être baptisé, « lavé » de ce péché, va-t-il en enfer ? Cette autre question a soulevé les plus vifs débats, surprenants et souvent scandaleux.

Commençons par le « malheur innocent ». Et ouvrons une parenthèse pour évoquer la souffrance des animaux. Que la souffrance soit apparue sur la terre à la suite du péché originel, passe encore pour les hommes, si l'on admet qu'il existe quelque solidarité entre les générations, se sont dit certains philosophes, mais comment expliquer les malheurs des animaux, qui ne descendent évidemment pas d'Adam et Ève ? Une réponse à cette question, défendue notamment par le père Malebranche au XVIIe siècle, a eu beaucoup de succès : les animaux, disait-il, ne souffrent pas ; ce sont des machines... En notre siècle encore, le théologien Camille Sadet a écrit que la bête souffrait moins que l'homme parce qu'elle ne possède pas, comme lui, « un tissu organique d'une infinie délicatesse[22] ». Celui-là n'avait pas prévu que l'on envisagerait, quelques décennies plus tard, d'implanter dans le corps humain des greffons d'animaux. Fermons donc la parenthèse, après avoir constaté l'indigence de ces réponses. Et revenons au malheur des enfants.

Comment admettre l'idée que cette souffrance des tout-petits soit due à une malédiction divine provoquée par la faute de ceux que les textes officiels actuels nomment encore « nos premiers parents » ? Il faut ici rappeler ce que Dostoïevski faisait dire à l'un de ses personnages, Ivan Karamazov : « Je comprends bien la solidarité du péché et du châtiment, mais elle ne peut s'appliquer aux petits innocents, et si vraiment ils sont solidaires des méfaits de leurs pères, c'est une vérité qui n'est pas de ce monde et que je ne comprends pas[23]. »

À cette question, aucun théologien, aucune autorité religieuse n'a encore apporté, à ma connaissance, une réponse acceptable pour le cœur et la raison.

Le seul début d'explication réside dans l'idée que la Création est inachevée, que l'homme est inachevé (voir ci-dessus chap. IV). Le malheur existe parce que l'histoire n'est pas terminée.

L'explication par le péché originel, elle, est en contradiction avec tout l'enseignement de Jésus sur l'amour de Dieu. La réponse par le mystère, au sens littéral habituellement donné à ce terme, ne tient pas davantage : Dieu doit être intelligible, compréhensible. Sinon, il n'est plus l'amour mais un être capricieux, poursuivant d'étranges objectifs.

Voilà pour le « malheur innocent ».

Le sort des enfants qui meurent avant le baptême a suscité des débats et des réponses non moins surprenantes.

Dès que l'idée du péché originel se fut imposée, avec ses deux corollaires – 1° c'est Jésus qui est venu réparer la faute d'Adam ; 2° pourtant, chacun de nous ne peut en être lavé que par le baptême –, de multiples questions ont surgi. Ainsi s'est-on interrogé sur le sort de tous ceux qui avaient vécu avant Jésus. Puisqu'ils étaient contaminés par le péché avant qu'il ne sauve l'humanité, ces hommes et ces femmes avaient-ils été condamnés à l'enfer ? Quand même, David, Moïse, Élie en enfer, c'était une curieuse vision. De nombreux théologiens, jamais à court d'imagination, ont fini par suggérer l'existence d'un lieu étrange, une sorte de salle d'attente : les limbes. Là, les patriarches auraient vécu, on ne sait trop comment, jusqu'à la venue de Jésus qui leur aurait rendu visite : « Il est descendu aux enfers. » Après quoi, ils auraient été admis au paradis.

Et les enfants ? Augustin, toujours lui, a envisagé, un temps, l'existence pour une part de l'humanité d'un enfer plus « tolérable ». Mais il n'accordait aux enfants, en fin de compte, aucune indulgence : « Quand le Seigneur viendra juger les vivants et les morts, il fera deux groupes qu'il placera l'un à droite, l'autre à gauche (...). Il n'y a pas de groupe intermédiaire où placer les enfants (...). Quiconque ne sera pas dans le Royaume des cieux sera dans le feu éternel[24]. » Voilà qui est sans appel. Tout comme la décision prise, peu après, par le Concile de Carthage : pas question d'admettre l'existence d'un « lieu intermédiaire où les enfants morts sans baptême vivent heureux » ; ceux qui oseraient le croire sont « anathèmes », hérétiques.

C'était le début d'une longue suite d'affirmations du même type. Comme celle du grand prédicateur Bossuet, bien obligé de marquer, officiellement du moins, quelque indulgence pour les fredaines de Louis XIV, mais qui n'en avait guère pour l'enfant nouveau-né : « Il est enfant d'Adam, voilà son crime[25]. » Plus grave : jusqu'au début du XVIIIe siècle, en France, mais aussi ailleurs, l'Église refusait l'inhumation dans les cimetières des enfants mort-nés, donc non baptisés.

Ainsi, Dieu, comme l'a écrit Victor Hugo dans une

page terrible, faisait-il don de milliers d'enfants au diable :

> Lisez nos missels, notre Bible,
> L'abbé Pluche, Saint Paul par Trublet annoté,
> Veuillot, tout ce qui fait sur terre autorité :
> Une conception seule est immaculée ;
> Tous les berceaux sont noirs, hors la crèche étoilée ;
> (...)
> Où l'homme dit Amour ! le ciel répond Péché !
> Tout est souillure et qui le nie est un athée.
> Toute femme est la honte, une seule exceptée.
> Ainsi ce tas d'enfants est un tas de forfaits !
> (...)
> Ainsi le Bon Dieu cligne
> Des yeux avec le diable et dit : Prends-moi cela[26] !

Tout de même, le cœur des chrétiens supportait mal une aussi cruelle intransigeance de Dieu, de telles sottises de la part des théologiens. On a donc imaginé l'existence d'un nouveau lieu : les limbes des enfants[27] différents des limbes des patriarches (désormais vides et promis, si l'on peut dire, au statut de monument historique). Ses « inventeurs » sont divers. Aux premiers rangs d'entre eux figure Thomas d'Aquin, toujours plus proche de la vision du Dieu-amour.

Mais « limbes » signifie limites. Or, comme le demande Jean Delumeau, « de quelles franges pouvait-il s'agir sinon celles de l'enfer[28] » ? Les Allemands utilisent d'ailleurs le terme *Vorhölle* qui désigne un lieu situé juste avant l'entrée de l'enfer. Un voisinage peu réjouissant. Thomas d'Aquin estimait toutefois que les enfants n'étaient pas trop malheureux dans ces limbes. D'autres se montrèrent plus optimistes. Au début de notre siècle, un évêque allemand, Wilhelm Schneider, les décrivait même comme un endroit particulièrement plaisant[29].

Au fil des temps, quoi qu'il en soit, cet endroit avait vu affluer de nombreux occupants. Au Moyen Âge, en effet, une idée toute simple avait commencé à s'imposer : pour pécher vraiment, il faut en avoir l'intention, savoir ce que l'on fait. Ensuite, quelques hardis navigateurs avaient découvert des terres inconnues, des peuples éloignés qui, de toute évidence, ne pouvaient pas avoir entendu parler auparavant du Dieu d'Israël et des chrétiens. On s'était donc interrogé : quel pouvait être le sort de leurs morts ?

En 1518, un archevêque de Turin, Claude Seyssel, a donc estimé que, s'ils avaient commis de bonnes actions, ils avaient droit aux limbes des enfants. Et, en 1920, le cardinal français Billot, un étonnant personnage que nous retrouverons, a encore envoyé dans les limbes des fournées d'« infidèles ».

La tradition protestante n'est pas plus claire. Calvin pensait que les enfants non baptisés seraient sauvés si leurs parents étaient chrétiens ; les autres étaient abandonnés à l'enfer ! Par la suite, les théologiens réformés se divisèrent.

L'Église catholique, elle, ne s'est jamais prononcée officiellement sur l'existence des limbes. Son dernier *Catéchisme*, celui de 1992, les ignore tout à fait.

Sa pratique a beaucoup varié. Naguère encore, elle insistait sur la nécessité de baptiser rapidement le nouveau-né afin d'assurer son salut ; elle avait même accepté, fait exceptionnel, que des laïcs y procèdent seuls en cas d'urgence. Aujourd'hui, la plupart des prêtres sont moins pressés et, lors des cérémonies baptismales, ils parlent davantage de l'entrée dans l'Église, dans la communauté chrétienne. Le péché originel est comme gommé, oublié.

Mais si l'on juge un arbre à ses fruits, comme aiment à le répéter les autorités ecclésiastiques, tels furent les fruits de la doctrine du péché originel, tels ils sont encore dans certains esprits, dans des cercles plus étendus qu'on ne le croit généralement.

7°) Examinons enfin, après les fruits, le cœur de l'arbre, le cœur du débat.

L'idée de responsabilité collective est une conception archaïque, elle semble être un trait commun à toutes les sociétés anciennes ou primitives[30].

Ainsi, dans le très ancien Israël, la vengeance (et la malédiction divine après la faute d'Adam ressemble beaucoup à une vengeance), si elle visait de préférence l'auteur d'un crime, pouvait s'étendre à ses proches ou au reste du clan. Et le principe du talion, « vie pour vie, œil pour œil, dent pour dent », qui nous semble si archaïque, si insupportable, fut, d'abord, en fait, une manière d'établir la responsabilité individuelle car seul le coupable était frappé par le talion.

Un peu à l'image d'Israël, les Grecs anciens expliquaient l'origine de l'humanité de cette manière : les Titans, divinités primitives, ayant mis à mort Zagreus, la divinité principale, furent foudroyés par les dieux de l'Olympe ; et c'est de la cendre des Titans que les hommes sont issus. Ils portent tous la peine de l'antique déicide.

On pourrait multiplier les exemples. La doctrine du péché originel n'est pas née de rien, ni de l'enseignement de Jésus. Elle est imprégnée d'une mentalité archaïque, d'une conception de la culpabilité collective qui s'est d'ailleurs prolongée jusqu'à nos jours (le code soviétique de 1942, article 7, punissait les personnes qui présentaient un danger « par leurs attaches avec un milieu dangereux ». Les enfants des Hutus ou des Tutsis du Rwanda ont été tués en représailles contre les fautes, réelles ou supposées, de leurs pères).

Observons un autre aspect de la question. Cette doctrine suppose, à moins que l'on torture les textes, l'existence d'un premier couple d'où descendrait toute l'humanité : c'est ce qu'on appelle le monogénisme.

L'encyclique *Humani Generis* du pape Pie XII (1950), sur laquelle l'Église n'est jamais clairement revenue, interdit aux « fils de l'Église » d'admettre le polygénisme, l'idée que les hommes, au pluriel, sont issus d'ancêtres animaux. L'encyclique refuse aussi d'admettre qu'Adam « désigne l'ensemble de ces multiples premiers pères », car, dit-elle, on ne voit en aucune manière comment concilier cette conception avec ce que « les sources de la vérité révélée et les actes du magistère ecclésiastique enseignent au sujet du péché originel, péché qui tire son origine d'un péché vraiment personnel commis par Adam »[31]. Or, les naturalistes, paléontologues et autres spécialistes qui s'interrogent sur les origines de l'homme, même s'ils ne sont pas arrivés à des conclusions définitives – y parviendront-ils jamais ? –, ne sont pas monogénistes, c'est le moins que l'on puisse dire. Le dogme du péché originel n'est donc guère compatible avec l'état des recherches scientifiques.

Il l'est encore moins si l'on évoque l'évolution. Dans son entretien avec Vittorio Messori, déjà cité, le cardinal Ratzinger disait : « Dans une hypothèse évolutionniste du monde (celle à laquelle correspond en théologie un certain "teilhardisme") *il n'y a évidemment place pour aucun "péché originel"*[32]. » C'est moi qui souligne. Le cardinal dit ensuite que, dans cette hypothèse évolutionniste, « celui-ci (le péché originel) n'est, au mieux, qu'une expression symbolique mythique servant à désigner les carences *naturelles* d'une créature comme l'homme qui, venant d'origines très imparfaites, va vers la perfection, vers sa réalisation complète (...). Mais accepter cette vision revient à renverser la perspective du christianisme ; le Christ est transféré du passé au futur ; Rédemption signifie alors simplement cheminement vers l'avenir, en tant qu'évolution nécessaire vers le mieux (...) il n'y a pas eu "Rédemption" parce qu'il n'y avait aucun péché à rédimer, seulement une carence qui, je le répète, est d'ordre naturel. »

La pensée du cardinal Ratzinger a toujours été empreinte de logique. C'est vrai : le péché originel n'a guère de sens si l'on admet l'évolution. Or, Jean-Paul II, dans son message du 24 octobre 1996 à l'Académie pontificale des sciences, a écrit : « De nouvelles connaissances conduisent à reconnaître dans la théorie de l'évolution plus qu'une hypothèse. Il est en effet remarquable que cette théorie se soit progressivement imposée à l'esprit des chercheurs, à la suite d'une série de découvertes faites dans diverses disciplines du savoir. La convergence, nullement recherchée ou provoquée, des résultats de travaux menés indépendamment les uns des autres, constitue par elle-même un argument significatif en faveur de cette théorie[33]. »

C'est clair. Les autorités de l'Église, après avoir traîné les pieds comme souvent, admettent ce que les scientifiques et la plupart des hommes un peu informés savaient depuis longtemps. Mais Jean-Paul II n'en tire pas les conséquences en ce qui concerne le péché originel, les conséquences que devrait en tirer le cardinal Ratzinger s'il continue à penser ce qu'il a écrit en 1985.

Concluons sur ce point : pour qu'Adam, ou les premiers hommes aient péché, il eût fallu qu'ils soient doués d'une intelligence bien développée et d'une liberté parfaite. Ce n'est pas ce genre d'hommes que la science nous montre aux origines de l'humanité. Il faut donc revenir, une fois encore, à ce qui a été déjà écrit ici (voir chap. IV) : l'homme a été créé inachevé. Comme le souligne Jean Macarez, « même pris à la lettre, le récit biblique ne nous dit nullement que le premier homme fut créé parfait (...). Certes, créé "à l'image de Dieu" a pu être, à l'origine des interprétations de la Genèse, une raison de l'imaginer[34] ». Mais l'homme, nous l'avons dit, n'est pas un clone de Dieu. D'ailleurs, si l'on s'obstinait à s'en tenir à la lettre de l'Écriture, il faudrait soutenir que l'homme a été modelé avec de la glaise...

La doctrine du péché originel ne peut être admise que si l'on met la Création au passé, si on la juge terminée, si on ne la considère pas comme une histoire en train de se faire (voir p. 78). Comme l'écrivit aussi le père François Varillon, « la perfection d'Adam n'est pas un état de perfection mais le commencement d'une histoire de perfection qui doit s'achever dans la gloire de Dieu[35] ». Quand le cardinal Ratzinger dit qu'accepter une telle vision revient à transférer « le Christ du passé au futur », il oublie simplement que, pour l'Église, le Christ est l'alpha et l'oméga, « celui qui était, qui est, et qui vient ». S'accrocher désespérément au dogme du péché originel amène ainsi à oublier ses classiques. Et amène surtout à se trouver en totale contradiction avec l'enseignement de Jésus sur l'amour de Dieu.

Le cardinal Billot, qui fut ensuite condamné par Rome (mais pour d'autres raisons, parce qu'il avait des accointances avec l'Action française, mouvement philosophique et politique condamné par le Vatican en 1926), l'avait écrit en 1920 : « Le dogme du péché originel se transforme immédiatement en un amas de contradictions flagrantes qu'en vérité aucune explication n'a pu, ne peut et ne pourra à jamais faire disparaître[36]. »

Je ne suis pas cardinal, mais le paragraphe 2 de l'article 212 du Code de droit canonique reconnaît aux laïcs « le droit et même quelquefois le devoir » de manifester leur façon de penser, « avec déférence envers les pasteurs », certes, et « sous réserve de l'intégrité de la foi et des mœurs ». Or, je ne vois pas en quoi la mise en question du péché originel – du péché originel seulement, car la faute de chaque homme, la faute collective aussi, est un autre problème – attente à l'intégrité de la foi prêchée par Jésus. Au contraire.

Cependant, la question se pose aussitôt : si l'on abandonne le dogme du péché originel, que faut-il penser du sacrifice de la Croix ?

CHAPITRE VII

Dieu ne demande pas de sacrifice, il n'est pas complice de l'assassinat de son Fils

Cela ne date pas de vingt ans, de trente ans ou d'un siècle. Cela se passait en 1997 lors de la « veillée pascale » – le samedi soir, à la veille de Pâques – dans une paroisse comme il en existe des milliers en France. Pas plus à l'avant-garde qu'une autre, pas plus traditionaliste qu'une autre. Cierges en main, les fidèles étaient invités à chanter un cantique (l'Exultet, très beau par ailleurs) qui disait notamment ceci :

Amour infini de notre Père,
Suprême témoignage de tendresse,
Pour libérer l'esclave tu as livré le Fils.
Bienheureuse faute de l'homme
Qui valut au monde en détresse un tel Sauveur !

Les paroissiens chantaient sans sourciller. Peut-être ne prêtaient-ils aucune attention au sens de ces phrases, absorbés qu'ils étaient par la contemplation et la protection des flammes vacillantes de leurs cierges. Peut-être aussi n'étaient-ils guère surpris par ce texte où l'on peut comprendre, même si d'autres interprétations sont possibles, qu'un père livre son fils en otage, un texte qui reprend, il est vrai, ce qu'ont dit des dizaines d'autres cantiques (comme le « Minuit chrétien », toujours en vogue, qui parle d'un enfant-Dieu descendu jusqu'à nous pour effacer la « tache originelle » et « de son père apaiser le courroux »). Ces paroissiens avaient peut-être en mémoire, aussi, ce qu'ont répété tant et tant de prédicateurs.

Un théologien a pourtant écrit, au début des années soixante-dix : « Certains textes de dévotion semblent suggérer que la foi chrétienne en la Croix se représente un Dieu dont la justice inexorable a réclamé un sacrifice humain, le sacrifice de son propre Fils. Autant cette image est répandue, autant elle est fausse. » Ce théologien qui fait autorité, en tous les sens du terme, c'est le cardinal Ratzinger[1].

Un quart de siècle plus tard, en dépit des efforts de nombreux prêtres, les croyances n'ont pas beaucoup changé. J'en ai reçu bien des témoignages. De nombreux chrétiens, et d'autres qui ont quitté les Églises (peut-être pour cette raison, parce qu'ils ne pouvaient supporter l'idée d'un Dieu vengeur qui livrait son fils au bourreau), tous ces gens, donc, imaginent que le cœur de la foi chrétienne est là, dans le sacrifice du Fils, mourant torturé pour satisfaire son Père. Il n'y a rien de plus contraire à ce que Jésus a révélé de Dieu. Mais puisque cette image est répandue, comme le soulignait le cardinal Ratzinger (qui ne semble pas avoir beaucoup tonné, lui qui est placé dans les sommets de la hiérarchie de l'Église, pour qu'elle soit effacée), puisque cette image est répandue, il faut s'y attaquer encore.

La plupart des chercheurs actuels pensent que l'histoire de la mort de Jésus est sans doute la première partie des Évangiles qui fut rédigée[2]. C'est dire combien cette mort – même suivie de résurrection – posait question aux compagnons de Jésus, aux premières communautés chrétiennes. Et comme on l'a vu dans le premier chapitre de ce livre, ils n'ont trouvé dans leur boîte à outils intellectuels, dans leur Tradition, qu'une explication : le sacrifice.

Le sacrifice peut s'interpréter, revenons-y, de deux manières. Comme la monnaie d'un commerce avec la divinité. Ou comme la plus haute expression du don de soi pour autrui : ainsi une mère offrira-t-elle sa vie pour sauver son enfant, un militant offrira-t-il sa vie pour ce qu'il pense être le bien de l'humanité. Ce deuxième sens est évidemment très positif. Et c'est le cas de Jésus qui ne cherche pas la mort mais qui expose sa vie, qui se donne tout entier. Hélas ! ce n'est pas ce sens du mot sacrifice qui est le plus souvent retenu à propos de la Croix.

Il s'agit de savoir pourquoi. Revenons donc aux premiers temps.

Si l'on excepte les esséniens, peu nombreux et pas très influents, l'idée que le Messie puisse souffrir était étrangère aux Juifs de l'époque. Restaient des textes d'Isaïe, notamment le chapitre 53, 4-12 cité ci-dessus (pp. 20-21), appelé « le Serviteur souffrant » et considéré d'ordinaire comme consacré aux malheurs subis par Israël depuis son exil à Babylone au VIe siècle avant J.-C. Il fut considéré comme annonçant la mort de Jésus.

Les évangélistes ont abondamment utilisé Isaïe, sans citer toujours le texte du « Serviteur souffrant », repris aussi par les Actes des Apôtres (8, 32-35). Ainsi Luc (32, 37) fait dire à Jésus : « Il faut que cette parole qui est écrite s'accomplisse en moi : Il a été mis au nombre des malfaiteurs » et cette parole est tirée d'Isaïe 53. De même quand Matthieu écrit à propos des miracles de Jésus (8,16) : « Il guérit tous les malades afin que s'accomplît tout ce qui avait été annoncé : il a pris nos infirmités, et il a enlevé nos maladies », ce qui avait été annoncé se retrouve dans Isaïe 53. Par ailleurs, Isaïe (42,1) fait dire à Dieu : « Voici mon serviteur que je soutiens, mon élu que j'ai moi-même en faveur, j'ai mis mon Esprit sur lui. » Le serviteur dont il est question dans ce texte est considéré habituellement comme représentant Israël ; mais quand Marc (1, 9-11) raconte le baptême de Jésus, il fait dire par Dieu à celui-ci : « Tu es mon fils bien-aimé, tu as toute ma faveur. » On pourrait multiplier ainsi les exemples d'utilisation d'Isaïe par les premiers chrétiens soucieux de montrer que tout ce qui était arrivé était annoncé par l'Ancien Testament[3].

L'idée, ainsi justifiée en principe par l'Écriture, que la mort de Jésus était un sacrifice prévu à l'avance et voulu par Dieu fut rapidement acceptée. C'est pourquoi, expliquent certains spécialistes, sa crucifixion ne provoqua pas, par la suite, chez ses compagnons et leurs sympathisants, le moindre mouvement de révolte contre les Romains ou les grands prêtres, complices dans cet assassinat[4] : ceux-ci n'étaient, en somme, que les instruments de la volonté divine. C'est, par ailleurs, ce que beaucoup pensent encore de Judas.

Paul, dont les textes, on le sait, sont antérieurs aux Évangiles, va beaucoup insister sur la crucifixion. Et l'influence de Paul sera considérable. Ne se targue-t-il pas d'avoir reçu de Dieu une révélation particulière ? Dans la lettre aux Éphésiens, sorte de grande méditation théologique nourrie de longues années de réflexion et d'expérience (il a environ cinquante-cinq ans lorsqu'il l'écrit), il dit en effet : « Vous avez appris, je pense, comment Dieu m'a dispensé la grâce qu'il m'a confiée pour vous, m'accordant par révélation la connaissance du Mystère (...) à me lire, vous pouvez vous rendre compte de l'intelligence que j'ai du mystère du Christ » (3, 2-4).

Or, qu'écrit cet homme qui a bénéficié d'une révélation divine ? Ceci, dans la même lettre : il affirme que le Christ « s'est livré pour nous, s'offrant à Dieu en sacrifice d'une agréable odeur » (5, 2). Cette dernière expression fait clairement allusion au premier sens du mot sacrifice que nous avons évoqué ci-dessus (p. 128). Aux Corinthiens, Paul assure que « le Christ est mort pour nos péchés, selon les Écritures » (I Cor. 15, 3) et ces péchés sont multiples, selon ses autres textes, à partir desquels on pourrait en dresser une longue liste (influencée sans doute par l'ascétisme des stoïciens). Aux Romains enfin, il dit que « Dieu a destiné Jésus-Christ à être par son sang victime propitiatoire pour ceux qui croiraient en Lui, afin de montrer sa justice, parce qu'il avait laissé impunis les péchés commis auparavant au temps de sa patience» (Romains 3, 25). Nous voici en plein langage sacrificiel. Punition, sang, victime: tout y est. Et Paul qui croit dur comme fer en la Résurrection, qui dit ailleurs que si Jésus n'est pas ressuscité rien de ce qu'il prêche n'a de sens, Paul pense aussi, comme le note le théologien allemand Hans Küng, qu'«à aucun moment le message de la Résurrection ne doit (...) obscurcir le message de la Croix[5]». Il prêche un crucifié. Et un crucifié offert en sacrifice. On peut considérer qu'il utilise le langage du sang à titre de symbole. Mais ce n'est pas ainsi que ce langage est compris d'ordinaire.

À cet utilisateur considérable du langage sacrificiel va bientôt s'en ajouter un autre: l'auteur du texte appelé l'épître aux Hébreux. Ce texte, on l'a déjà signalé, n'est certainement pas de Paul, contrairement à ce que l'on a cru longtemps, et n'était sans doute pas destiné à des Hébreux que l'on voulait convertir, mais à des convertis un peu découragés, qui avaient une mentalité d'exclus, de minoritaires, qui éprouvaient quelque nostalgie des grandes cérémonies sacrificielles du judaïsme.

L'auteur, très probablement un disciple de Paul, leur parle donc beaucoup de sacrifice. Il compare la mort de Jésus aux sacrifices offerts au Temple de Jérusalem: «Or, c'est maintenant, une fois pour toutes, à la fin des temps, qu'il s'est manifesté pour abolir le péché par son sacrifice» (9, 26). Retenons l'expression «une fois pour toutes». Aux yeux de cet auteur inconnu mais dont l'influence fut également considérable, le sacrifice de Jésus est le dernier. Après lui, aucun autre ne sera nécessaire. Une autre époque commence.

Il balaye les sacrifices anciens: «Du sang de taureaux et de boucs est impuissant à enlever des péchés» (10, 4). Et il cite un psaume de l'Ancien Testament, le psaume 40 (7-9) pour le mettre dans la bouche du Christ : « Tu n'as voulu ni sacrifice ni oblation ; mais tu m'as façonné un corps. Tu n'as agréé ni holocaustes ni sacrifices pour les péchés. Alors, j'ai dit : Voici, je viens (...) pour faire, ô Dieu, ta volonté. » Et pour être certain d'être bien compris, notre auteur souligne que Jésus « abroge le premier régime pour fonder le second ». Nous sommes à la fois dans le langage sacrificiel (à propos de Jésus) et anti-sacrificiel (pour ce qui l'a précédé). Aux yeux de cet auteur influent, le sacrifice de Jésus ouvre une nouvelle époque.

Il ne s'agit pas, en effet, du même genre de sacrifice. Pour citer une seule différence, très concrète, parmi d'autres : dans les sacrifices d'animaux, les prêtres agissaient, jouaient le rôle essentiel ; Jésus, lui, est tué par des légionnaires romains, des hommes impurs aux yeux des Juifs. Rien à voir.

Mais l'idée de sacrifice à offrir à la divinité pour se concilier sa bienveillance (qui est absente du Nouveau Testament) est tellement ancrée dans toutes les têtes, qu'elle va connaître, en dépit du texte de l'épître aux Hébreux, et peut-être en raison de son ambiguïté, un extraordinaire succès, très dangereux puisqu'il va voiler l'image du Dieu que la vie et la mort de Jésus révélaient.

D'autant que les évangélistes utilisent également des mots qui prêtent à confusion. Marc fait dire à Jésus qu'il est venu « donner sa vie en rançon pour une multitude » (10, 45). Matthieu lui prête aussi ce propos, au moment de la Cène : « Ceci est mon sang, le sang de l'alliance qui sera répandu pour une multitude en rémission des péchés » (25, 28). Voilà encore deux mots, surtout « rançon », qui vont frapper les esprits pour longtemps.

Que signifie en effet le mot « rançon » ? Pour les gens des premiers siècles comme pour ceux d'aujourd'hui, c'est une somme, ou un objet, ou un otage, donné à un ennemi pour qu'il rende la liberté à une ou plusieurs personnes qu'il détient en captivité. Résultat : jusqu'au XIIe siècle s'est développée une théorie selon laquelle la rançon – Jésus – avait été donnée... au diable. C'était notamment la thèse d'Augustin, toujours lui[6]. Thomas d'Aquin et un autre grand théologien, Albert le Grand, ont obtenu le rejet de cette thèse qui nous semble aujourd'hui farfelue et qui montre à quelles aberrations peut mener l'idée du rachat du péché originel. « Loin de nous, a alors écrit Albert le Grand, la pensée que le Christ se soit offert au diable. Il s'est offert à Dieu et, par lui, nous avons été déliés de la sentence du Père qui nous fermait l'entrée du Paradis[7]. » La « rançon », pour lui, étant désormais offerte à Dieu. Un vrai progrès, certes. Mais faire de Dieu un rançonneur, un créancier avide de se faire rembourser à tout prix...

Traiter Dieu ainsi, c'était le mettre à la mesure des hommes, et des plus mauvais parmi les hommes. C'était lui faire insulte. L'étonnant, c'est que l'Église se soit tenue à cette thèse. Le Concile de Trente, qui a par ailleurs des approches très positives de la Grâce, oblige les catholiques à croire que Jésus nous a « réconciliés avec Dieu par son sang » (V, 3, 7). Et Bossuet, toujours prêt à en rajouter : « Il n'appartient qu'à Dieu de venger ses propres injures, et tant que sa main ne s'en mêle pas, les péchés ne sont punis que faiblement ; à lui seul appartient de faire comme il faut justice aux pécheurs ; et lui seul a le bras assez puissant pour les traiter selon leur mérite. "À moi, à moi, dit-il, la vengeance : eh ! Je leur saurai bien rendre ce qui leur est dû" (...). Il fallait donc, mes frères, *qu'il vînt lui-même contre son fils avec toutes ses foudres*[8]. » C'est moi qui souligne cette absurdité. Mais Bossuet n'était pas seul. Le jésuite Bourdaloue disait comme lui. Et bien d'autres. Et pas seulement au XVIIe siècle.

Le philosophe René Girard constatait, en 1985, que ce qu'il appelle « l'antichristianisme » s'accroche « désespérément à la théologie la plus sacrificielle pour ne pas perdre ce qui le nourrit, pour se croire toujours habilité à dire : le christianisme n'est qu'une religion de la violence parmi d'autres, voire même la pire de toutes[9] ». Mais René Girard ne s'interroge pas sur les causes de cette interprétation erronée.

Cela dit, il faut tenter de répondre à plusieurs questions. Et d'abord, celle-ci : que penser de la lettre de Paul, et des phrases attribuées à Jésus par Marc et Matthieu, citées au début de ce chapitre ?

Nous pouvons, certes, constater que dans sa lettre aux Romains (5, 18), Paul ne parle pas de « rachat ». Il dit que « l'œuvre de justice d'un seul », c'est-à-dire de Jésus, « procure à tous une justification qui donne la vie ». Mais l'œuvre de justice n'est pas obligatoirement un sacrifice, c'est une action, ce peut être toute la vie de Jésus.

Bien d'autres expressions de Paul, cependant, vont dans le sens du sacrifice. Nous en avons déjà rencontré bon nombre. De même, Paul fait allusion dans la première lettre aux Corinthiens à l'agneau pascal immolé (5, 7).

On ne peut donc nier que la conception sacrificielle soit sous-jacente à certains de ses écrits, et clairement énoncée dans d'autres.

Pourquoi s'en étonner ? Il a puisé dans sa boîte à outils intellectuels. Au terme d'une longue et complexe analyse de textes, le père jésuite Joseph Moingt note : « L'Ancien Testament et la religion juive expriment et pratiquent le salut au moyen du langage et des rites sacrificiels, et les mentalités des païens auxquels ils (les premiers chrétiens) s'adressaient étaient formées de la même manière. Ce langage leur a donc paru très apte à communiquer leur foi. Il ne s'ensuit pas qu'on doive le prendre au pied de la lettre[10]. » Autrement dit, c'est dans une perspective missionnaire que l'on aurait parlé de sacrifice. Mais si ce langage pouvait être admis par les gens du Ier siècle, il scandalise à juste raison beaucoup d'hommes de celui-ci. Le sacrifice de Jésus peut s'interpréter comme don de soi à Dieu et aux hommes. C'est son sens véritable. Mais on l'a contaminé par des retours à l'Ancien Testament et à la mentalité archaïque, toujours vivante, pour laquelle on se concilie la bienveillance de la divinité en lui offrant des sacrifices.

Venons-en aux phrases prêtées à Jésus. D'abord, la célèbre allusion à la rançon. Elle se trouve dans Marc (10, 45) : Jean et Jacques, les fils de Zébédée, demandent à Jésus des places d'honneur. Bien entendu, ils se font mal recevoir. Et Jésus, après leur avoir fait la leçon, leur explique que le Fils de l'Homme n'est pas venu pour être servi mais pour servir et « donner sa vie en rançon pour une multitude ». Ce bout de phrase n'est donc pas compris dans un discours où Jésus explique le sens de sa mission. Il apparaît plutôt comme un ajout. D'autant que Luc (22, 24-27) raconte la même scène, ou une scène très semblable, sans faire la moindre allusion à une « rançon pour une multitude ». Et nulle part ailleurs, Jésus ne parle ainsi du sens de sa mort, n'emploie cette expression. On peut donc penser que celle-ci est due aux premiers chrétiens lorsqu'ils cherchaient à expliquer sa crucifixion.

De la même manière d'ailleurs, Marc, racontant le dernier repas, la Cène, fait dire à Jésus (14, 24) : « Ceci est mon sang, le sang de l'alliance, répandu pour une multitude. » Mais Paul, écrivant environ quinze ans plus tôt, se bornait à dire : « Ceci est la nouvelle alliance en mon sang. » Bien des spécialistes de l'étude de ces textes jugent peu probable, compte tenu des usages juifs – boire le sang était inconcevable –, que Jésus ait prononcé exactement lors du dernier repas les paroles que lui prête Marc[11].

Matthieu, lui, est un spécialiste de ce que les exégètes appellent des *vaticinia ex eventu*, c'est-à-dire des prédictions faites après coup, après l'événement. Ainsi fait-il annoncer par Jésus (26, 1-4) qu'il allait être crucifié, ce que les autres Évangiles se gardent bien de faire. Il n'est guère surprenant qu'il ait prêté à Jésus des propos exprimant l'interprétation que les premiers chrétiens auraient ensuite de sa mort.

On ne peut douter pour autant que Jésus ait prévu celle-ci, l'échec de sa mission[12]. Plusieurs textes de Marc, de Luc et de Matthieu l'annoncent[13]. Jésus voyait bien qu'il gênait, que ses ennemis se multipliaient, que les grands prêtres voulaient se débarrasser de lui et que le pouvoir romain n'y ferait pas obstacle, bien au contraire. Mais dans aucun des propos où il évoque cette mort, le Christ ne laisse entendre qu'il devait être sacrifié « pour la rémission des péchés ». Il offre sa vie, car l'amour ne se paie pas de mots et va jusqu'à la mort. Ce n'est pas un commerce.

L'Évangile de Jean, lui, ne parle jamais de sacrifice, n'y fait pas la moindre allusion. Il évoque certes « l'agneau de Dieu », qui fait penser à l'agneau pascal offert en sacrifice, mais c'est dans une phrase qu'il attribue à Jean-Baptiste, et les conceptions de Jean-Baptiste et de Jésus étaient sensiblement différentes (des communautés qui s'inspiraient de Jean-Baptiste ont même coexisté, plus ou moins bien, avec les premiers chrétiens). D'ailleurs, Jean précise ainsi le sens de la mission de Jésus : « Dieu a tant aimé le monde qu'il a donné son Fils unique, pour que tout homme qui croit en lui ne périsse pas mais ait la vie éternelle » (3, 14-16). C'est clair. Il s'agit de révéler le vrai Dieu. C'est ce que dit Jésus au moment crucial, lorsque Pilate l'interroge : « Je ne suis né et je ne suis venu dans le monde que pour rendre témoignage à la vérité. Quiconque est de la vérité écoute ma voix » (Jean 18, 37). On notera le « ne... que », qui renforce l'affirmation. Jésus dit qu'il est venu seulement pour rendre témoignage à la vérité.

Il sut que cela entraînerait pour lui la souffrance, mais il ne la recherchait pas, elle n'était pas à ses yeux une valeur, et s'il accomplissait des miracles – après s'être fait tirer l'oreille parfois –, c'était pour soulager ceux qui avaient mal[14].

Il sut que sa mission pouvait l'amener jusqu'à la mort, et il l'accepta pour la remplir jusqu'au bout, mais il n'a pas voulu mourir. Le récit de la nuit de Gethsémani (Marc 14, 33-36) le dit assez : « Il commença à ressentir effroi et angoisse (...) il priait pour que, s'il était possible, cette heure passât loin de lui. Et il disait Abba (papa) ! tout t'est possible : éloigne de moi cette coupe : pourtant, pas ce que je veux, mais ce que tu veux[15]. »

Ce que voulait son père, ce n'était pas qu'il mourût pour effacer le péché d'Adam, nos péchés. Comment un Dieu qui pardonne, selon l'Évangile, soixante-dix-sept fois sept fois, c'est-à-dire toujours, aurait-il pu inventer ce mécanisme, cette procédure dans laquelle, pour apaiser son courroux contre l'humanité pécheresse, il deviendrait complice, instigateur même, de l'assassinat de son fils ? Comment un Dieu qui avait donné à Moïse cette loi, « Tu ne tueras pas », aurait-il souhaité que l'on tue son propre fils pour sa « satisfaction » comme ont dit et disent toujours tant de théologiens (dans un langage qui est source de confusion) ?

C'est ce que redit notamment le Document de la Commission théologique internationale sur la Rédemption, adopté en novembre 1994, qui fut approuvé par le cardinal Ratzinger[16]. Ce texte est très complexe, et on a parfois le sentiment, à le lire, qu'il veut ouvrir quelques portes, mais sans contredire clairement certaines affirmations antérieures (une situation assez classique dans l'Église ; elle oblige les théologiens à une gymnastique intellectuelle d'une rare difficulté, mais certains y sont rompus ; les profanes, eux, n'y comprennent rien, s'en désintéressent, ou s'en amusent).

Ainsi, cette Commission dénonce-t-elle, en son article 32, les « limites légalistes et moralisatrices de certaines théories » anciennes. Mais elle réaffirme, en son article 36, celle du « rachat » de l'humanité. Elle semble donc ignorer deux paraboles de Jésus. La première (Matthieu 18, 23-27) compare Dieu à un roi qui veut régler ses comptes avec ses serviteurs. Il commence par se montrer sévère avec un homme qui n'avait pas les moyens de lui rendre dix mille talents. Une somme considérable, équivalant au salaire de seize mille ouvriers pendant dix ans, à près de douze années de revenus d'Hérode qui vivait dans les palais et le luxe. Jésus est certes, on l'a déjà vu, un Oriental porté à utiliser des images fortes (la poutre dans l'œil, le chameau qui passe par le trou d'une aiguille, etc.) mais l'importance de cette dette a fait penser à nombre de commentateurs qu'il s'agissait, comme dit l'un d'eux, de « l'irréparable de notre condition de pécheurs par rapport à Dieu ». Donc, le roi se montre d'abord sévère. Puis il se laisse attendrir. Il efface la dette (ce que ne fera pas, dans la suite de l'histoire, le débiteur ainsi libéré, à l'égard d'un malheureux qui lui devait quelques sous). L'essentiel est là : Dieu efface la dette, sans demander de contrepartie.

Une autre parabole est citée par Luc (7, 41-42). Jésus la raconte au cours d'un dîner chez un pharisien nommé Simon. La conversation, ce soir-là, tourne beaucoup autour du péché. Et voici ce que dit Jésus : « Un créancier avait deux débiteurs : l'un devait cinq cents deniers, l'autre cinquante. Comme ils n'avaient pas de quoi rembourser, il fit grâce à tous deux. »

Cet homme, donc, comme le roi dont il était question dans l'Évangile de Matthieu, n'a rien demandé en échange de cette « grâce », aucun sacrifice, aucun service. Il a supprimé la dette, tout simplement. De la même manière, *Jésus n'est pas mort pour payer une dette*. Il parle un autre langage, celui de la grâce. Assumant la condition humaine jusque dans la mort, il crée un nouveau type de relation entre Dieu et l'homme.

Revenons au Document de la Commission théologique internationale. Il évoque bien, dans son article 39, une « intervention gracieuse de Dieu », mais celle-ci n'est autre que le sacrifice de Jésus : « La mort de Jésus, qui résulte inévitablement de sa courageuse opposition au péché de l'homme, constitue l'acte suprême du don de soi sacrificiel ; il est sous cet angle agréable au Père. »

On voit bien ce que peut signifier cette phrase. Mais quelle méconnaissance du langage contemporain, quelle méconnaissance des sentiments humains les plus élémentaires faut-il avoir pour écrire que la mort d'un fils – « sous cet angle » comme disent nos bons théologiens, ou sous un autre, peu importe –, que la mort du fils est « agréable au Père ». Quel est donc ce père qui jugerait « agréable » la mort de son fils ? La grandeur de l'homme serait de se détourner d'un tel père, fût-il Dieu.

Un peu plus loin (quatrième partie, paragraphe 2), les mêmes théologiens écrivent : « S'il n'était pas homme, Jésus-Christ ne pourrait faire réparation au nom de l'humanité pour les offenses commises par Adam et la postérité d'Adam. » Cette obstination à faire référence à Adam et à sa postérité – en 1994, dans un texte publié en 1996 ! – pourrait, à la rigueur, faire sourire. Mais laisser entendre que l'Incarnation avait cette justification – « faire réparation au nom de l'humanité » –, c'est en réduire gravement, on l'a vu, le sens et la portée.

De telles déclarations, tout au long des siècles, ont déformé l'image du Dieu de Jésus aux yeux du plus grand nombre.

C'est parce qu'on a utilisé ce langage que l'imagerie religieuse – dont j'ai déjà souligné l'influence sur les mentalités et les spiritualités – est le plus souvent d'une rare tristesse : Michel-Ange, Bellini, d'autres aussi, ont même représenté l'enfant de la crèche sous des traits sombres car il se savait déjà, pensaient-ils, promis au sacrifice[17].

C'est parce qu'on a présenté comme un sacrifice la mission de Jésus qu'on a exalté la souffrance, considérée comme une faveur du ciel[18], que l'on fit chanter « Vive Jésus, vive sa croix ! », que l'on instaura, dans le culte, « l'adoration de la croix » et aussi celle du Sacré-Cœur couronné d'épines. Il est vrai que ces formes de piété avaient un aspect positif, et eurent beaucoup de succès puisqu'elles prêchaient un Christ participant aux souffrances des hommes, donc proche d'eux[19]. Mais il est vrai aussi que l'on défigurait le Dieu de Jésus. Et qu'au XIXe siècle, par exemple, on conseillait aux écrasés ou aux humiliés de ne pas se révolter, mais de « porter leur croix » pour participer au sacrifice de Jésus. Ce qui aidait à maintenir l'ordre, fût-il injuste.

C'est la même conception qui fait parler encore de « sacrifice de la messe », dérivé du « sacrifice de la croix ». Or, écrit Hans Küng, « les développements de l'épître aux Hébreux montrent précisément que le repas de la communauté, la célébration eucharistique, ne doit se comprendre en aucun cas comme une réitération, un complément, voire un dépassement de l'unique "sacrifice" de Jésus (...). La Cène est avant tout *un repas*. L'expression "sacrifice de la messe" est à éviter comme trompeuse (...). Ce repas n'est pas *lui-même une réitération du "sacrifice" de la Croix*. Il est bien au contraire une *"célébration commémorative"* (anamnèse, mémoire) et une *célébration d'action de grâces* (eucharistie) qu'on accomplissait initialement au domicile des chrétiens, en toute simplicité et de manière parfaitement intelligible : un repas en souvenir de Jésus, pris dans une attitude de reconnaissance et de foi, pour avoir part à la vérité permanente du sacrifice qu'il a fait de sa vie une fois pour toutes[20] ».

Car, c'est vrai, Jésus a fait le sacrifice de sa vie. Non, une fois encore, pour satisfaire son Père. Ni, une fois encore, pour payer une dette.

Jésus s'est sacrifié, au sens où un soldat le fait parce que sa mission l'y entraîne, au sens où un sauveteur le fait pour arracher une personne à la mort. Et en un autre sens encore, qu'il faut maintenant préciser.

Celui-ci est capital car il fait de cette mort l'aboutissement de l'engagement de toute sa vie : elle contribue à révéler vraiment qui est Dieu. J'y ai déjà fait allusion (voir ci-dessus, p. 69). Si l'on croit que Jésus possède tous les attributs de Dieu, qu'il est Dieu en personne, alors quel Dieu est-il ? Non pas le Dieu qui tonne pour dicter la Loi, non pas les dieux politiques des occupants romains. Mais un Dieu qui pousse le dénuement, l'humilité, l'anéantissement de soi jusqu'à se laisser torturer et jusqu'à mourir. Non par masochisme ou volonté suicidaire, puisque Jésus a un sursaut de refus devant la mort. Par amour. Uniquement par amour.

Paul le dit, dans sa lettre aux Philippiens (2, 8-9), Jésus « s'anéantit lui-même, prenant condition d'esclave et devenant semblable aux hommes, (...), s'humilia plus encore, obéissant jusqu'à la mort et à la mort sur une Croix ! » Notons en passant que ce texte est encore affecté par les tâtonnements des premiers temps : Paul ne dit pas que c'est Dieu qui s'anéantit lui-même, mais Jésus « égal de Dieu », tout comme il écrit qu'il est devenu « semblable aux hommes » et non pleinement homme, et qu'il « obéit » à je ne sais quelle volonté du Père. Mais l'essentiel est là : il s'est « anéanti ».

Paul dit aussi qu'il s'est humilié. On pourrait ajouter que Dieu s'est doublement humilié. En la personne du Fils par sa mort. En la personne du Père, parce que le Père n'intervient pas dans cette affaire. Les imbéciles crient à Jésus : si tu es Dieu, descends donc de cette croix. Jésus ne le fait pas. D'autres lui disent : « Il a compté sur Dieu ; que Dieu le délivre maintenant s'il s'intéresse à lui » (Matthieu 15, 39-43). Le Père ne le fait pas. Parce qu'il partage la souffrance du Fils, qu'il est lui-même sur la croix.

S'il était un Dieu tel que nous le concevons d'ordinaire, tel que les hommes se sont toujours représenté la divinité, il interviendrait, il se vengerait, ridiculiserait, terrasserait, détruirait les assassins de Jésus. Le Dieu de Jésus ne le fait pas.

Bien plus: ceux qui croient en la résurrection de Jésus doivent constater qu'elle n'a rien de triomphal. Les apparitions sont limitées à quelques personnes qui, d'ailleurs, ne le reconnaissent pas immédiatement.

C'est dans la logique de cette mort, laquelle était dans la logique de cette vie: Dieu ne s'impose pas comme dieu (au sens traditionnel de ce mot), parce que l'amour ne s'impose pas. L'amour ne peut résulter que d'un acte libre.

Enfin, ressuscitant, en triomphant de la mort, Jésus « aspire » en quelque sorte toute l'humanité avec lui, l'entraîne dans la divinité. Ce qui serait impossible, nous l'avons vu, si Dieu n'était pas Trinité, c'est-à-dire « ouvert ». Tout se tient. Et c'est là que réside le « salut » dont on parle tant. Le salut n'est pas dû au sacrifice de la Croix destiné à expier on ne sait quelle faute originelle et dont la responsabilité cascaderait de génération en génération. Le salut est dû à l'intervention directe de Dieu, en la personne de Jésus, dans l'histoire des hommes, qui est à la fois histoire de la grâce et de la faute, qui est tragique et toujours traversée d'espérance. Le salut est dû à l'incarnation de Jésus, à sa mort et à sa résurrection tout ensemble, le tout ne faisant qu'un.

Il est difficile de trouver une image qui convienne pour exprimer mieux cette riche réalité. On pourrait, certes, parler de coup d'accélérateur donné à l'alliance de Dieu et des hommes pour poursuivre la création. Mais c'est insuffisant. C'est d'une nouvelle naissance de l'humanité, d'une recréation qu'il s'agit. Et son premier signe est la victoire sur la mort.

Dire cela, est-ce oublier le mal, le péché? Non. Le mal gît au cœur de l'homme. Parce que celui-ci est libre: s'il était incapable du mal, des massacres du Rwanda et d'Auschwitz, il ne serait pas libre. Et si le mal, qui souvent nous glace d'horreur, gît au cœur de l'homme, c'est aussi, on l'a vu, parce que c'est un être inachevé dans un monde inachevé. C'est facile à dire ? Certes. Mais faut-il rester bouche bée comme Job ? Il faut tenter de comprendre, au contraire. Et l'explication est de ce côté.

Mais si l'homme est libre, il est responsable, éventuellement coupable. Et s'il est coupable, quelle sanction l'attend ? Depuis des siècles, cette question a hanté les jours et les nuits de millions et de millions d'hommes et de femmes, elle les a terrifiés, elle a provoqué les plus horribles cauchemars de millions et de millions d'enfants. Il nous faut maintenant l'explorer.

CHAPITRE VIII

Qui sera « sauvé » ?

Pressés par les guides, les touristes regardent et admirent les portes de bronze. Ils n'accordent, le plus souvent, qu'un coup d'œil rapide à la mosaïque du XIIIe siècle, qui recouvre la coupole à l'intérieur du baptistère de Saint-Jean, à Florence. Ses ors brillent pourtant, attirent l'œil vers un monde coloré, foisonnant. Mais surtout inquiétant. Au cœur de l'image, un Christ, gigantesque, terrifiant : le Christ-Juge.

À sa droite, des anges accueillent les élus. Alléluia ! Le bonheur. Dieu est grand et bon. Dieu n'est qu'amour.

À sa gauche, en revanche, c'est l'horreur. Un monde de suppliciés sur lequel règne un monstre vert, effrayant descendant cornu des dinosaures, affairé à déguster un corps humain, tandis que des serpents sortis de ses oreilles se nourrissent eux aussi de maudits. On voit même sur la droite une femme (bien entendu), embrochée comme un gigot, qui rôtit dans les flammes.

Dante Alighieri, le plus célèbre peut-être des Florentins, fut baptisé là. Je ne sais si le bébé regardait cette mosaïque quand le prêtre versa sur lui l'eau du baptême, ni si elle lui inspira, à quelque autre moment de sa vie, sa description de l'Enfer, un enfer où les violents sont plongés dans le sang bouillant, les gaspilleurs poursuivis par des chiennes faméliques et voraces, les flatteurs enveloppés dans des excréments, les voleurs dévorés par des serpents, tandis qu'au centre de la terre, qui est le point le plus éloigné de Dieu, le diable, monstre à trois faces, mâchonne dans chacune de ses trois bouches un pécheur: Judas comme il se doit, accompagné de Brutus et Cassius coupables d'avoir conspiré contre César, assassiné[1].

Cette imagerie (pour superbe qu'elle soit à Florence) et cette littérature (pour talentueuse qu'elle soit chez Dante) se retrouvent un peu partout dans le monde chrétien. Dieu punit. Ce fut là, dirait-on, sa première fonction pendant des siècles. Le diable était toujours prêt à enlever les pauvres pécheurs pour les faire rôtir. Et Dieu le Père, ou le Christ paraissaient toujours disposés à lui en fournir.

Les Églises insistent aujourd'hui moins, beaucoup moins, sur cette image de Dieu, bien qu'elles ne l'aient pas tout à fait abandonnée, nous le verrons. Mais il faut savoir pourquoi et comment, alors qu'elle est tellement contraire à ce qu'a dit Jésus sur l'amour du Père, elle a connu un tel succès.

Il est vrai que depuis les temps les plus anciens, toutes les grandes religions – les moins grandes aussi – ont annoncé l'existence de châtiments, le plus souvent infernaux, pour les hommes qui déplaisaient aux divinités. En Inde, au VIe siècle avant J.-C., on croyait que ceux-ci renaissaient après leur mort sous forme de vermisseaux ou d'animaux fort peu sympathiques, avant de finir dans le monde noir de l'enfer (il existait cependant une sorte d'issue de secours assez analogue au purgatoire[2]). Dans l'enfer égyptien, immense, les tortures infligées par des monstres à têtes d'animaux (comme au baptistère de Florence) témoignaient d'un sadisme raffiné, et bien entendu on brûlait aussi les mauvais. Tout comme dans l'*Énéide* du Romain Virgile (vers 733-743). Tandis que dans le «sheol» des Hébreux, les âmes étaient entreposées pour une vie éteinte et morne[3].

Les textes de ces derniers, ceux que l'on retrouve dans la Bible, sont, en effet, plus complexes. Ils montrent, certes, un Dieu vengeur, parfois opposé à tous les peuples et à tout Israël :

> Le Seigneur se dresse pour le procès,
> Il se tient debout pour juger les peuples (Isaïe 3,13).

> Mon peuple Israël est mûr pour sa fin ;
> désormais je ne lui pardonnerai plus (Amos 8, 2).

Parfois, en revanche, la justice (ou la colère) de Dieu se limite à un individu :

> Qui se conduit honnêtement sera sauf ;
> qui, tortueux, suit deux voies, tombera dans l'une d'elles (Proverbes 28,18).

On pourrait ainsi multiplier les citations qui font apparaître un Dieu terrifiant, intervenant dans l'histoire de son peuple, souvent pour le punir sur cette terre. Elles sont souvent – il faut le souligner – extraites de textes composés à des époques où les Juifs adorent de faux dieux, refusent de suivre Moïse ou d'écouter les prophètes.

À l'inverse, d'autres textes montrent un Dieu de pardon et d'amour :

> Il ne nous traite pas selon nos péchés,
> ne nous rend pas selon nos fautes (Psaumes 103,10).

Osée lui fait dire :

> Je ne donnerai pas cours à l'ardeur de ma colère,
> je ne détruirai pas à nouveau Éphraïm,
> car je suis Dieu et non pas homme (Osée 11, 9).

Éphraïm, mentionné plus de trente fois par Osée, est l'un des fils de Joseph, un chef d'Israël, et représente symboliquement dans ce texte tout Israël. On notera surtout ce membre de phrase : « Je suis Dieu et non pas homme. » Les hommes se vengent ou cherchent réparation. Pas Dieu. La justice de Dieu n'est pas celle des hommes. Et Savonarole, ce dominicain brisé par la torture, écrivit à la veille d'être pendu et brûlé une superbe page sur la miséricorde, une poignante méditation sur le texte des Proverbes (14, 16): «Le juste tombe sept fois le jour, et il se relève.»

«La miséricorde n'a donc pas de bornes, écrivit Savonarole, et chaque fois que le pécheur se repent, la voici qui vient, qu'il soit question de petits ou de grands péchés. Tu as failli, relève-toi, la miséricorde t'accueille; tu es tombé, crie, et la miséricorde accourt. Tu as de nouveau failli; tu es de nouveau tombé, tourne-toi vers le Seigneur: il te recevra avec des entrailles de bonté. Tu as failli, tu es tombé une troisième et une quatrième fois, pleure ta faute, la miséricorde ne te délaissera jamais. À chaque chute, relève-toi, et la miséricorde n'aura pas de fin[4].»

La miséricorde divine se manifeste aussi dans l'histoire de Jonas, l'une des plus riches de sens de toute la Bible. On en connaît l'essentiel, l'envoi de Jonas à Ninive, capitale de l'Empire assyrien qu'un prophète juif, Nathan, avait promise à la vengeance de Yahvé: «Il se venge, le Seigneur, de ses adversaires, il porte rancune à ses ennemis» (1, 2). Or, c'est tout le contraire qui se produit: Dieu demande à Jonas d'aller prêcher à Ninive afin de sauver ses habitants. Ce qui ne plaît guère à notre homme: il cherche à fuir à l'autre bout du monde. Dieu le reprend de force pour le ramener dans la grande ville. Jonas, qui n'a plus le choix, s'exécute, et voilà que sa prédication réveille les cœurs: les Ninivites se repentent. Jonas devrait s'en réjouir. Mais non: il se désole. Dieu, lui, «se repent» (3, 10) du mal dont il avait menacé cette population. Et cela tracasse Jonas: «Ah, Seigneur, dit-il, n'est-ce point là ce que je disais lorsque j'étais encore dans mon pays? C'est pourquoi je m'étais d'abord enfui (...) je savais en effet que tu es un Dieu de pitié et de tendresse, lent à la colère, riche en grâce et te repentant du mal. »

Reprocher à Dieu sa tendresse : décidément, il a un cœur de pierre ce Jonas ! Il est vrai que les Assyriens ne sont pas des amis d'Israël ; c'est l'un des sens de l'histoire : l'amour de Dieu est universel. Mais il en est un autre. Car voilà Jonas qui souffre à nouveau. Il s'était mis à l'ombre, comme on le sait, sous un arbre, un ricin. Or, celui-ci se dessèche, ne peut plus l'abriter. Brûlé par le soleil, près de s'évanouir, Jonas supplie qu'on le laisse mourir. Curieusement, il n'en veut pas au ricin, qui, pourtant, n'a pas tenu son engagement, a failli à sa tâche. Et Dieu en tire argument : « Toi, lui dit-il, tu as pâti de cette plante pour laquelle tu n'as pas peiné et que tu n'as pas fait croître. (...) Et moi, je n'aurais pas pitié de Ninive la grande ville où il y a plus de cent vingt mille êtres humains qui ne savent distinguer leur droite de leur gauche ! » (4, 10-11). Cent vingt mille est évidemment un chiffre symbolique qui représente la multitude, et la droite et la gauche sont liées aux notions de bonheur et malheur. Le cœur du message est donc tout à fait clair : Dieu est miséricorde.

L'Ancien Testament passe donc peu à peu de l'image d'un Dieu à la fois violent et pardonnant à celle d'un Dieu qui fait grâce. Pas suffisamment, cependant, pour que l'image ancienne, celle du vengeur, capable de haine, disparaisse tout à fait.

Et voilà Jésus. On ne répétera pas ici les paraboles où il montre Dieu comme un Père aimant, ni les multiples paroles de compassion et de pardon qui ont déjà été citées dans ce livre. Sauf celle-ci, qui est l'essentiel de son message : « Aimez vos ennemis et priez pour vos persécuteurs afin de devenir les fils de votre Père qui est aux cieux, car il fait lever le soleil sur les méchants et sur les bons, et tomber la pluie sur les justes et les injustes » (Matthieu 5, 44-45).

Voilà donc un commandement exaltant mais difficile, qui est, comme l'a écrit David Flusser, professeur à l'université hébraïque de Jérusalem, « la propriété exclusive de Jésus (...). Seul il prêchait l'amour inconditionnel, notamment l'amour de l'ennemi et l'amour du pécheur. Et il ne s'agissait pas d'un amour sentimental[5] ». Or, on l'a vu, ce message capital est justifié dans le texte de Matthieu par l'exemple de la bonté de Dieu pour tous, injustes autant que justes.

Il est impossible, pourtant, de s'arrêter là. Car Jésus a aussi prononcé des paroles violentes. Elles sont même trop nombreuses pour être citées toutes ici.

Jésus menace de la « Géhenne » (Matthieu 10, 28 ; 23, 33 ; Marc 9, 47), qui était à l'origine une vallée au sud de Jérusalem, très proche de la ville, où l'on avait pratiqué des sacrifices humains, où l'on brûlait en permanence des détritus, et qui était devenue, par extension, un lieu de châtiment par le feu.

Jésus évoque aussi les « ténèbres extérieures » (Matthieu 8, 12 ; 22, 13). Ou encore, il promet aux villes – Chorazeïn, Bethsaïde, Capharnaüm – qui ne l'ont pas écouté la « rigueur au jour du jugement » (Matthieu 11, 24). Enfin, il raconte l'histoire des dix vierges qui allaient à la rencontre de l'époux ; celui-ci se fait attendre ; elles s'assoupissent ; le voici qui arrive à l'impromptu ; cinq sont prêtes : leurs lampes sont allumées ; cinq ne le sont pas : elles n'ont pas d'huile et les premières ne veulent pas partager ; celles qui étaient prêtes entrent avec l'époux dans la salle des noces ; les autres trouvent porte close. Elles tambourinent : « Seigneur, Seigneur, ouvre-nous. » Mais il répond : « Je ne vous connais pas. » Et Jésus, cité par Matthieu, conclut : « Veillez donc, car vous ne savez ni le jour ni l'heure » (Matthieu 25, 1-13).

Cet ensemble de textes, incomplet, est impressionnant, et en contradiction avec bien d'autres propos de Jésus. Il constitue donc, pour les commentateurs, une vraie difficulté. Tentons, une fois encore, de débroussailler en ouvrant quelques pistes :

• Celle-ci d'abord, déjà soulignée dans ce livre : Jésus, qui est un Oriental, parle toujours avec des images fortes. Il dramatise parfois.

• Il est possible, voire probable, que les propos que nous venons de citer et qui lui sont prêtés soient marqués par les croyances qui avaient prévalu jusque-là, que Jésus ou plutôt ceux qui ont reconstitué ensuite ses discours aient été tributaires des conceptions de l'époque. Le père Giuseppe Barbaglio, professeur italien d'exégèse biblique, va jusqu'à écrire : « À mon avis, on ne peut éviter de penser qu'il y eût là chez Jésus une réelle incohérence – explicable et excusable, si l'on tient compte du lourd conditionnement culturel auquel il était soumis[6]. »

Il est difficile de croire en l'incohérence de Jésus. En revanche, il est vrai qu'à l'époque de la rédaction de l'Évangile de Matthieu, fleurissaient chez les Juifs des textes qui annonçaient la fin des temps et des tyrans, le jugement de Dieu qui allait libérer les justes opprimés. Les tyrans ainsi visés étaient presque toujours les Romains : depuis les années quarante, la résistance contre l'occupant s'était exacerbée, notamment en raison d'une crise économique.

Les premiers chrétiens partageaient cet état d'esprit, ils connaissaient évidemment cette littérature dite « apocalyptique ». Ainsi, l'épître de Jude (14-15) reprend presque textuellement un passage particulièrement virulent d'un texte appelé *Le Livre d'Hénoch* où l'on voit le Seigneur venir « exercer le jugement sur tous et confondre tous les impies[7] ». D'autres textes mettent en opposition « la fournaise de la Géhenne » et le « paradis des délices », ou « la joie et le repos » et « le feu et les tourments ». Les chrétiens en furent évidemment influencés. Or, comme le note Daniel Marguerat, professeur de Nouveau Testament à l'université de Lausanne, le Christ, dans l'Évangile de Matthieu, ne parle du jugement que devant les croyants, comme pour les inciter à ne pas « se pelotonner frileusement sur la certitude de leur salut » mais au contraire à agir, changer de vie, et répandre la Bonne Nouvelle[8].

On peut interpréter dans le même sens une très célèbre phrase de Jésus qu'on ne trouve, une fois de plus, que dans l'Évangile de Matthieu : « Il y a beaucoup d'appelés mais peu sont élus. » C'est que Matthieu, comme nous l'avons vu plus haut (p. 93), à propos de la parabole des invités au repas de noces, craint que les chrétiens auxquels il s'adresse s'assoupissent ou pensent que, Dieu n'étant point sévère, ils peuvent faire à peu près n'importe quoi. D'où le rappel à l'ordre, la menace[9].

D'autant que l'actualité de l'époque n'est pas réjouissante.

Matthieu, pour autant qu'on le sache, écrit vers 80, c'est-à-dire après la destruction du Temple de Jérusalem, après la fin de la résistance juive, la défaite de Massada. Tous les Juifs de l'époque, chrétiens compris, ont été – c'est peu dire – fortement impressionnés par l'événement. Et l'évangéliste de souligner, en modifiant peut-être les paroles exactes de Jésus : attention ! Si les chrétiens ne font pas leur devoir, une catastrophe semblable peut les atteindre à leur tour.

• L'influence des idées de Jean-Baptiste peut également être prise en compte. Ainsi voit-on celui-ci (toujours dans l'Évangile de Matthieu) apostropher rudement ses auditeurs, les traitant notamment d'« engeance de vipères » (3, 7). Or, un peu plus loin, Matthieu reprend presque le même texte (23, 33-34) mais le place cette fois dans la bouche de Jésus qui s'en prend aux « scribes et aux pharisiens hypocrites ». Le fait est d'autant plus remarquable que Luc, citant le même discours de Jésus (11, 49), omet, lui, cette comparaison avec les vipères. Autrement dit, Matthieu n'hésite pas à mettre dans la bouche de Jésus une phrase qui semble bien avoir été prononcée d'abord par le Baptiste[10]. Lequel, dans toute sa prédication, insiste, on le sait, beaucoup plus sur le jugement que sur le Royaume.

• Revenons-en, précisément, au Royaume. Au temps de Jésus, la plupart des Juifs l'espèrent, mais ils le craignent aussi. Ils l'espèrent comme victoire sur les Romains, renaissance des institutions d'Israël. Mais ils le craignent, car ils pensent que les malheurs de leur peuple sont dus à leurs péchés et que Dieu, établissant son Royaume, commencera par les châtier : la Libération s'accompagnera d'une épuration. D'où le succès de Jean-Baptiste vers lequel des foules accourent pour se faire baptiser.

Jésus, lui, donne du Royaume une tout autre image. Le Royaume de Dieu est présent, parce qu'il est venu, lui, parce que « l'époux » est là. Le Royaume ne se situe pas dans le temps : il est spirituel. Quand un scribe (un homme qui a suivi de longues études pour devenir un interprète officiel de la Loi) dit à Jésus qu'aimer Dieu et aimer son prochain « vaut mieux que tous les holocaustes et tous les sacrifices », Jésus, satisfait de cette « remarque pleine de sens », lui répond qu'il n'est « pas loin du Royaume de Dieu » (Marc 12, 33-34).

Bien entendu, le Royaume n'est pas achevé, il est semblable à du levain qu'une femme a enfoui dans la farine (Matthieu 13, 33) ou à un grain de moutarde semé dans un champ (Luc 13,19). Il est donc en train de se faire, en plein développement. Et en le comparant à des choses simples, le levain, le grain, Jésus bouscule les visions apocalyptiques qui doivent accompagner, selon ce que l'on croit à l'époque, sa venue. Mais il insiste sur la nécessité pour tous d'être disponibles, prêts à rencontrer Dieu. C'est ce que signifie la parabole des dix vierges évoquée plus haut. Il ne s'agit évidemment pas dans cette histoire de citer en exemple parfait celles qui sont entrées avec l'époux dans la salle des noces : elles ont refusé de partager l'huile avec leurs amies, ce qui est contraire à tout ce que demande Jésus. La « pointe », comme disent les spécialistes, c'est-à-dire l'enseignement essentiel de cette parabole, c'est que chacun doit être, à tout moment, capable d'entendre la Parole.

Certes, Jésus évoque le jugement. Mais il annonce que celui-ci sera généreux : « Demandez et l'on vous donnera » (Matthieu 7, 7). D'ailleurs, il est venu avertir les pécheurs, afin de leur donner toutes leurs chances : « Je ne suis pas venu appeler les justes mais les pécheurs » (Marc 2, 17). Et ceux qui se mettent à la place de Dieu pour juger les autres feraient bien de se méfier : « Ne jugez pas et vous ne serez pas jugés » (Matthieu 7, 1).

Bref, Jésus prêche la confiance. Car il veut sauver tous les hommes. Tous. C'est ce qu'il dit, peu avant la crucifixion, à un groupe de pèlerins grecs venus à Jérusalem pour la Pâque : « Une fois élevé de terre, j'attirerai tous les hommes à moi » (Jean 12, 32). Ce qui n'exclut pas le jugement, et l'appel à chaque homme pour qu'il réponde à l'amour de Dieu. Mais, comme l'écrit Hans Urs von Balthasar, fait cardinal par Jean-Paul II, « l'amour seul (...) est le jugement[11] ».

Paul, lui aussi, souligne que Dieu fait « à tous miséricorde » (épître aux Romains 11, 32), qu'il « veut que tous les hommes soient sauvés et parviennent à la connaissance de la vérité » (épître à Timothée 2, 4). Et l'on pourrait multiplier les citations où l'on retrouve le mot « tous »[12]. Certes, Paul parle aussi du jugement du Christ ou de Dieu, mais avec confiance, en y ajoutant, comme l'écrit H. Urs von Balthasar, des mots de « consolation et d'encouragement ». Et jamais il ne parle de l'enfer[13]. Pierre non plus, alors que sa première épître évoque largement l'au-delà. Et Jacques écrit : « Parlez et agissez comme des gens qui doivent être jugés par une loi de liberté. Car le jugement est sans miséricorde ; mais la miséricorde se rit du jugement » (2, 12-13).

La miséricorde se rit du jugement.

Tout est dit.

L'idée que tous les hommes seront sauvés semble assez répandue chez les chrétiens des premiers siècles.

Origène (qui aura des ennuis avec les conciles) imagine que la miséricorde divine pourrait s'étendre même à Satan. Au IVe siècle, si l'on en croit saint Jérôme, l'idée est largement admise que le « feu de l'enfer » n'est qu'une image et qu'en toute hypothèse, les tourments infligés aux méchants ne sont pas éternels[14]. Entre le Ve et le Xe siècle, un texte qui circule beaucoup et dont l'influence se prolongera bien au-delà, *L'Évangile de Nicodème*, s'intéresse beaucoup au salut des justes et des patriarches qui vécurent avant la venue de Jésus. Mais il précise en outre – et voilà l'important – que tous les morts sont sauvés, même « les pécheurs, les impies et les injustes du monde entier[15] ».

Déjà, pourtant, le courant dominant change, sous l'influence des événements. Car les Barbares arrivent, l'Empire romain se désagrège. Pour tenter de le maintenir debout tant bien que mal, les juristes multiplient des sanctions sévères. Toutes les sociétés malades – la nôtre ne fait pas exception – se défendent à coups de lois et de décrets. Ce qui déteint sur la pensée chrétienne et sur l'image que l'on forge du Jugement dernier.

D'autant que des théologiens influents comme Tertullien, puis Cyprien, avaient auparavant condamné au « châtiment du feu éternel » tous ceux « qui ne sont pas les véritables adorateurs de Dieu ». Tertullien osait même écrire : « C'est moi qui rirai, quand je verrai gémir au fond des ténèbres, avec Jupiter et ses adorateurs, tous ces rois que l'on disait au ciel ; quand je les verrai, tous ces magistrats qui ont persécuté le nom chrétien, dévorés par des flammes beaucoup plus ardentes que celles dont ils se servirent pour tourmenter nos frères ; quand je verrai tous ces sages, tous ces philosophes rôtissant avec leurs disciples à qui ils ont enseigné que Dieu ne s'occupe pas du monde[16]. » Pour scandaleuse qu'elle nous paraisse aujourd'hui, cette idée de la satisfaction provoquée chez les élus par la souffrance des damnés allait connaître, au long des siècles, un grand succès[17]. Jésus avait demandé d'aimer ses ennemis, mais ce commandement capital serait vite oublié.

Le coup décisif à la vision d'un Dieu de miséricorde disposé à sauver les hommes sera porté par Augustin. Pour lui, pas de doute : l'enfer accueillera des foules de damnés. Il écrit sur le sujet des pages et des pages. Et sa doctrine influencera l'Église et la quasi-totalité des théologiens jusqu'au début de notre siècle.

L'évêque d'Hippone s'en prend vigoureusement, comme toujours, à ceux qu'il appelle les « compatissants » ou les « miséricordieux » (les traducteurs divergent), ceux qui, comme Origène, pensent que l'enfer pourrait bien, en fin de compte, se retrouver vide. Augustin va jusqu'à les soupçonner de ne penser, en cette affaire, qu'« à leur avantage », de se réclamer de la clémence universelle de Dieu pour permettre « à leurs mœurs corrompues une trompeuse impunité ».

Ces adversaires ayant été ainsi disqualifiés par le soupçon, la diffamation, Augustin daigne pourtant examiner quelques-uns de leurs arguments. Ils disent qu'un péché commis en un instant ne peut entraîner une peine éternelle ? Mais alors, « devrait-on laisser quelqu'un en prison seulement le temps qu'a duré l'acte qui lui a mérité cette punition » ? D'ailleurs, la peine de mort existe sur terre ; l'enfer est « la peine de la seconde mort ». L'Église prie pour les morts ? C'est vrai, mais elle ne prie pas pour le diable, donc il ne faut pas prier non plus « pour les défunts sans foi ni loi, même s'il s'agit d'êtres humains »[18]. Et ainsi de suite. Même s'il entrouvre une porte en admettant l'existence d'un « feu purgatoire » par lequel certains pécheurs pourront passer pour être sauvés[19], Augustin érige donc en statue géante le Dieu-qui-punit.

Certes, quelques voix discordantes vont s'élever. Ainsi Catherine de Sienne. Dans ses dialogues avec Jésus, au cours de ses extases, elle lui demande : « Comment donc, Seigneur, je pourrais consentir à ce qu'un seul de ceux que vous avez créés, comme moi, à votre image et à votre ressemblance, vienne à périr et à être enlevé de vos mains ? Non, je ne veux absolument pas voir périr un seul de mes frères, un seul de ceux qui me sont unis par une même naissance à la nature et à la grâce. Je veux qu'ils soient tous enlevés à l'antique ennemi et que vous, Seigneur, vous les gagniez tous pour l'honneur et la plus grande gloire de votre nom[20]. »

Mais de telles voix sont peu entendues. Il est vrai qu'à la fin du XIIe siècle, la reconnaissance de l'existence d'un troisième lieu entre enfer et paradis, le purgatoire, a ouvert plus largement les portes de l'espoir, et c'est un événement considérable dans l'histoire spirituelle de l'Occident.

La Réforme ne va rien arranger. Calvin, encore lui, développe la doctrine de la prédestination et écrit que Dieu, de façon irrévocable, « ordonne les uns à la vie éternelle, les autres à l'éternelle damnation ». Si on demande pourquoi Dieu « a pitié d'une partie et pourquoi il laisse et quitte l'autre, il n'y a d'autre réponse sinon qu'il lui plaît ainsi[21] ». Par caprice, si l'on comprend bien...

Les réformateurs, en outre, contestent l'existence du purgatoire.

Du côté catholique, on en vient à dire et à répéter sur tous les tons qu'il n'est point de salut hors de l'Église. Et l'on développe ce que Jean Delumeau appellera une « pastorale de la peur ». Les prédicateurs, les livres de piété, les missionnaires de l'intérieur qui arpentent les campagnes pour animer les paroisses, multiplient les menaces et les terrifiantes descriptions de l'enfer. Prédicateur à Notre-Dame de Paris à la fin du XIXe siècle, le père Monsabré, un dominicain, demande même à ses auditeurs de n'avoir aucune compassion pour les damnés : « Pas de pitié, je vous en prie ! Pas d'attendrissements puérils, pas de larmes[22]. » En 1901, *L'Ami du clergé*, une publication très lue par les prêtres, leur conseille de ne pas « chercher à édulcorer le dogme de l'enfer par des adoucissements impossibles », mais au contraire d'« entretenir dans les esprits la crainte salutaire des supplices terribles qui attendent les pécheurs impénitents »[23].

Les fidèles, en vérité, ne suivent plus. Ils croient de moins en moins à l'enfer. Et les prêtres cessent peu à peu d'en parler. En 1953, pourtant, Rome publie un document qui répète : « Parmi les choses que l'Église a toujours prêchées et ne cessera d'enseigner, il y a aussi cette déclaration infaillible où il est dit qu'il n'y a pas de salut hors de l'Église. » Mais c'est pour nuancer aussitôt cette « déclaration infaillible », voire la contredire : « Pour qu'une personne obtienne son salut éternel, il n'est pas toujours requis qu'elle soit, de fait, unie à l'Église à titre de membre, mais il lui faut être unie tout au moins par désir ou souhait. » Le texte ajoute qu'il n'est même pas nécessaire que ce souhait soit « explicité » et prend en compte « une bonne disposition de l'âme par laquelle on désire conformer sa volonté à celle de Dieu »[24]. Enfin, le Concile Vatican II, dans sa constitution *Lumen Gentium*, admet le salut pour les fidèles de toutes les religions et même les athées « qui cherchent encore dans les ombres et sous des images un Dieu qu'ils ignorent[25] ». Le Concile, d'ailleurs, n'appelle jamais l'enfer par son nom.

Récemment enfin, en 1994, Jean-Paul II a écrit : « Dieu, qui a tant aimé l'homme, peut-il accepter que celui-ci le rejette et pour ce motif soit condamné à des tourments sans fin ? Pourtant, les paroles du Christ sont sans équivoque. Chez Matthieu, il parle clairement de ceux qui connaîtront des peines éternelles. Qui seront-ils ? L'Église n'a jamais voulu prendre position. Il y a là un mystère impénétrable entre la sainteté de Dieu et la conscience humaine. Le silence de l'Église est donc la seule attitude convenable. Même si le Christ dit, à propos de Judas qui vient de le trahir : "Il vaudrait mieux que cet homme-là ne soit pas né !", cette phrase ne doit pas être comprise comme la damnation pour l'éternité[26]. » Il n'y aurait pas de place en enfer, même pour Judas ? Curieusement, cette déclaration du pape n'a pas été reprise par les médias. Il est vrai qu'il ne s'agissait pas du préservatif et de la morale sexuelle.

La boucle serait-elle bouclée ? L'Église en serait-elle revenue après tant de siècles à l'image du Dieu décidé à sauver tous les hommes ? Ce n'est pas tout à fait certain puisque le *Catéchisme de l'Église catholique* publié en 1992 réaffirme dans son article 1035 que « les âmes de ceux qui meurent en état de péché mortel descendent immédiatement après la mort dans les enfers », tout en soulignant que dans la liturgie eucharistique l'Église implore la miséricorde de Dieu qui veut « que personne ne périsse mais que tous arrivent au repentir ».

Autant dire que l'Église d'aujourd'hui ne sait plus très bien que dire sur ce sujet. Pendant des siècles, elle avait cru à l'enfer. En conséquence, elle avait établi son pouvoir sur les âmes par la peur alors que Jésus prêchait la joie et la confiance filiale. Longtemps, des prédicateurs ont suscité de terrifiantes angoisses, condamné à la damnation éternelle alors que Jésus disait de ne pas juger si nous ne voulions pas être jugés.

L'Église, aujourd'hui, prudente, revenant aux sources, hésite.

Cette hésitation est un immense progrès. Et elle peut se comprendre. Non parce que la hiérarchie ecclésiastique se trouve en position de devoir contredire des affirmations qu'elle avait auparavant présentées comme « certaines » : cela, elle a toujours su le faire, avec plus ou moins d'habileté. Des attitudes de ce genre n'accroissent ni son autorité, ni son influence et ses fidèles peuvent s'en désoler, mais c'est ainsi.

Si l'hésitation de la hiérarchie catholique peut se

comprendre c'est que la question, en vérité, est des plus rudes.

Le Dieu annoncé par Jésus, incarné par Jésus, n'a pas de comptes à régler avec les hommes, mais il nourrit pour eux un projet d'amour, comme ce livre ne cesse de le répéter. Ce projet peut se définir en quelques mots : c'est qu'ils participent à sa vie éternellement.

Si un seul de ces hommes échappe à ce projet, ne participe pas, en fin de compte, éternellement, à la vie divine, c'est un échec pour le Dieu de Jésus. Je me suis parfois demandé comment, au long des siècles et aujourd'hui encore, des hommes et des femmes qui croyaient en un Dieu tout-puissant (au sens « jupitérien ») pouvaient croire en même temps à l'enfer, qui est l'échec de Dieu : la seule réponse, c'est que ces hommes et ces femmes ne croyaient pas, en même temps, en l'amour infini de Dieu.

L'amour infini de Dieu, précisément, suppose que l'homme dispose d'une totale liberté, puisse donc le rejeter totalement. Même après la mort. Même placé devant l'évidence de Dieu.

Quelques-uns, qui ne croient pas à l'enfer, pensent que l'homme qui persisterait, dans une telle situation, à refuser l'amour de Dieu, disparaîtrait dans le néant, mourrait totalement, ne connaîtrait aucune survie. Il entrerait dans la mort, point final. Sans supplices et flammes dont Dieu se réjouirait ou tolérerait l'existence. Il serait hors de la vie. Pour toujours. Une telle éventualité est sans doute concevable. Ce serait quand même un échec de Dieu.

Le Dieu de Jésus court donc, parce qu'il n'est qu'amour, le risque d'échouer. Et de souffrir à jamais, pour l'éternité, d'un amour refusé.

Étonnante perspective. Si radicalement différente des conceptions habituelles, qu'il faut, sur ce sujet, s'arrêter à ce point. Et dire : je ne suis pas certain, je ne sais pas ; mais cela paraît bien dans la logique du Dieu de Jésus.

CHAPITRE IX

Dieu restera, à jamais, surprenant

Voici venu le moment de faire halte.

Halte parce que ce livre n'est ni une œuvre d'imagination, ni un traité d'histoire ou de théologie. Mais simplement un « essai ». Et Littré le dit bien dans son dictionnaire : un essai est un « ouvrage dans lequel l'auteur traite sa matière sans avoir la prétention de dire le dernier mot ».

Qui pourrait dire le dernier mot sur Dieu, hormis Dieu ? Et encore. Peut-être s'y refuserait-il, peut-être lui est-ce impossible : dire le dernier mot, c'est fermer les portes, se fermer, s'enfermer. Ce qui est contraire à la nature du Dieu de Jésus, ouvert, offert et inépuisable.

Voici venu le temps de faire halte, pour récapituler. Récapituler, c'est-à-dire, selon l'étymologie, reprendre en un chapitre, c'est-à-dire, selon l'étymologie encore, remettre en tête.

Au fil des pages, nous avons découvert, redécouvert, un Dieu qui ne ressemble guère aux dieux des anciens, ni aux dieux des philosophes. Mais les mentalités archaïques resurgissent toujours dans les nôtres, même si nous jouons les affranchis et les délurés, et défigurent encore le Dieu de Jésus. Les tentatives d'explication des philosophes sont tellement rationnelles qu'elles le défigurent aussi. Le Dieu de Jésus est une personne. Aucune personne n'est rationnelle. Même Dieu. À commencer par Dieu peut-être. Dieu « n'est qu'amour ». Et l'amour n'est pas rationnel.

Est-il rationnel de pardonner toujours, même quand on vous a insulté, flagellé, torturé, supplicié, crucifié ? Aux yeux des hommes, non. Le père du fils prodigue ne se souciait guère de la raison, lui. Il aimait. C'est tout.

Dieu aime comme un fou.

Dieu, le Dieu de Jésus, aime au point de paraître injuste. Et selon les normes humaines, il est injuste, celui qui rétribue les ouvriers de la onzième heure autant que ceux qui s'échinaient depuis la première, qui avaient peiné et sué tout le jour.

Dieu, le Dieu de Jésus, aime au point de nier sa propre liberté. Ce qui est difficile à admettre. Aux yeux de bien des gens, en effet, la liberté n'est que la possibilité de choisir entre le bien et le mal. Dieu étant naturellement bon ne peut choisir que le bien. Pour lui, la voie est toute tracée. Des philosophes et des théologiens ont disserté à l'infini sur ce thème : pas de liberté pour Dieu puisqu'il est parfait. Mais à entendre et à regarder Jésus, il est clair que la voie tracée à Dieu, en raison de ce qu'il est, n'est que celle de l'amour ; il faut toujours y revenir. Et quand on aime, on accepte de dépendre de l'autre, de lui céder, de lui offrir sa liberté, de s'en remettre totalement à l'autre. Le Dieu de Jésus, qui n'est qu'amour, se remet totalement entre les mains des hommes, des enfants suppliciés et écrasés, mais aussi de ceux qui les supplicient et les écrasent. Même de ceux-là. Même des salauds, des violents et des criminels. Car il les aime tout autant. Il ne désespère pas d'eux. « L'amour est patient », dit Paul dans le chapitre 13 de l'épître aux Corinthiens, auquel nous nous sommes souvent référés. S'il est quelque chose d'infini en Dieu, c'est la patience. Comment, quand on contemple le chaos, les fureurs et les haines de notre histoire, ne pas conclure à l'infinie patience de Dieu ?

Dieu, le Dieu de Jésus, aime au point de refuser la puissance. Car sa puissance s'opposerait à notre liberté, valeur suprême à ses yeux puisqu'il nous aime. Descends de là, si tu es si fort, si puissant, disaient les imbéciles à Jésus crucifié. Avouons-le, s'il l'eût fait, quel joli pied de nez, dont nous ririons encore après vingt siècles ! Mais quelle offense à la liberté de l'homme, quel affront, donc, pour chacun de nous !

Dieu, le Dieu de Jésus, aime au point de se faire l'un d'entre nous. Un homme. Vraiment homme. Pas une apparence. Un être de chair et de sang, de désirs et de peurs, de faim et de soif, qui aime manger et qui aime rire, à tel point que ses contemporains, ses adversaires, l'appelleront « l'ivrogne et le glouton ». L'Incarnation est le cœur de tout, elle dit tout. Elle dit qu'il y a de Dieu dans l'homme mais aussi qu'il y a de l'homme en Dieu. De l'homme, donc de l'imparfait.

De l'imparfait en Dieu ! J'ose à peine l'écrire. Pourtant, les Églises elles-mêmes le disent : Jésus était tout à fait homme, hormis le péché. Or il y a en l'homme de l'imparfait qui n'est pas le péché – tout ce qui est imparfait n'est pas refus du bien, refus de Dieu, il y a en l'homme de l'inachèvement qui n'a rien à voir avec le péché. Bien sûr, l'homme n'est pas Dieu, l'homme n'est pas un clone de Dieu. Mais quand même, si Dieu était inachevé ? Ou plutôt toujours en train de se faire, de se créer ?

Une personne, chacun l'admet aujourd'hui, une personne n'existe qu'en se faisant. Ce n'est pas un « tout-fait », c'est un « se-faisant ».

La personnalité divine n'est certes pas de même nature que la personnalité humaine. Mais une personne est nécessairement en mouvement, un mouvement, une histoire. Le Dieu de Jésus n'est pas un tout-fait, de toute éternité (expression que nous traduisons spontanément par « depuis toujours », comme s'il existait un passé dans l'éternité). Dieu se fait chaque jour dans l'histoire, la sienne qu'il a voulue liée à la nôtre.

Nous sommes décidément loin du Dieu des anciens

et des philosophes. Pour ceux-ci, Dieu est – j'ouvre un dictionnaire – « créateur et auteur de toutes choses ». Eh bien, non. Dieu est à l'origine d'une histoire en train de se faire et à laquelle l'homme participe comme un co-créateur, un allié. Un allié peu commode, un allié douteux. Mais Dieu parie sur lui, lui accorde sa confiance en dépit de tout. La Bible n'évoque-t-elle pas l'Alliance au chapitre de la Genèse qui raconte l'histoire de Noé ? À ce moment, Dieu, dit-elle, doute de l'homme dont « la méchanceté se multipliait sur la terre ». Dieu est disposé à « détruire sous les cieux toute créature animée de vie » (Genèse 6, 17). Mais dès le verset suivant, il annonce à Noé : « J'établirai mon alliance avec toi. » Il doute de l'homme et lui fait confiance dans le même temps. Et Dieu revient à la charge, chaque fois que l'homme rompt l'alliance. D'Abraham à Moïse, à David, il ne cesse d'affiner les clauses du contrat, du traité d'alliance. Il ne cesse de donner plus. Et de demander plus.

Car le Dieu de Jésus demande. Il attend quelque chose de l'homme. Tandis que je mûrissais et que j'écrivais ce livre, il m'est arrivé souvent de me poser cette question : n'étais-je pas en train de dessiner les traits d'un Dieu « acceptable », peu exigeant, faible comme ces parents qui permettent tout, tolèrent tout par amour – ou plutôt en raison de ce qu'ils croient être l'amour. Eh bien, non ! L'amour de Dieu est patient mais exigeant.

Que dit Jésus, en effet ? « Aimez vos ennemis. » C'est son commandement le plus original, son injonction exclusive. Qu'il faille aimer son prochain comme soi-même, d'autres l'avaient dit. Mais ils n'étaient jamais allés jusque-là : aimer – pas seulement pardonner, tolérer, supporter –, *aimer* ceux qui vous haïssent, ceux qui vous insultent, ceux qui vous humilient, ceux qui vous torturent. Ce qui ne signifie évidemment pas qu'il faut laisser n'importe qui faire n'importe quoi. Mais que dans le même temps où l'on s'oppose à un tortionnaire, à un violent, à un injuste, on doit l'aimer. Rien de plus difficile : dans de telles situations, la haine, la colère vous donnent davantage de force pour agir, pour réagir, s'opposer.

Telle est pourtant l'exigence de l'amour de Dieu : il faut aimer autant que lui. Et si l'on y parvient, dit Jésus, il ne faut en tirer aucune gloire : « Quand vous aurez fait tout ce qui a été ordonné, dites : Nous sommes des serviteurs sans mérites, nous n'avons fait que ce que nous devions faire » (Luc 17, 10).

Il m'arrive parfois, pour illustrer cette exigence de Dieu, de citer l'exemple de d'Estienne d'Orves, un résistant, un officier de marine qui, en 1940, avait rejoint à Londres le général de Gaulle. Il fut envoyé en mission clandestine dans la France occupée, pris par les Allemands qui le condamnèrent à mort : au matin de son exécution, il embrassa l'officier allemand qui commandait le peloton.

Un tel exemple constitue, bien sûr, un cas extrême. Tout le monde n'est pas environné d'ennemis aussi acharnés, irréductibles, déterminés, que certains soldats en guerre. Mais chacun rencontre des rivaux, des médisants, des malfaisants, des casse-pieds. Aimez ceux qui vous cassent les pieds ! Pas facile. Aimez ceux qui vous gênent, ceux qui essayent de vous passer devant, les injustes, les menteurs, les cupides. Ne les laissez pas faire. Mais aimez-les ! Pas facile, vraiment.

Non, je ne crois pas avoir dessiné les traits d'un Dieu « acceptable » parce qu'il permettrait tout. Certains des premiers chrétiens, nous l'avons vu, l'avaient pensé : puisque Dieu est comme le père du fils prodigue, un père qui ne demande pas que l'on se frappe la poitrine en s'accusant et que l'on se couvre la tête de cendres, ils se laissèrent aller à croire que tout était licite. C'en était fini de la Loi, puisque l'on était, comme l'écrivait Paul, désormais passé sous l'empire de la Grâce. Ces chrétiens se trompaient, bien entendu, puisqu'ils ignoraient la Loi essentielle, exigeante, celle du cœur, de l'amour. Ils oubliaient que Dieu n'attend de l'homme que ceci : qu'il joue cœur, toujours. Avec intelligence, bien sûr. Dieu ne nous veut pas stupides. Jésus l'a répété sur tous les tons.

Tandis que je mûrissais et écrivais ce livre, il m'est arrivé aussi de me demander si je n'étais pas en train de dessiner les traits d'un Dieu « acceptable » autrement. Non, cette fois, parce qu'il ne serait pas exigeant. Mais parce qu'il correspondrait à l'idée que l'homme moderne peut se faire de Dieu. Bref, je me suis demandé si je n'étais pas en train d'annoncer un Dieu « correct », adapté à notre époque.

Mais qu'est-ce que l'homme moderne ? Au milieu de ce siècle, après les tragédies des guerres mondiales, alors qu'il faisait ses premiers pas dans l'espace, on le décrivait comme tout entier tendu vers le progrès, confiant en la raison, libéré de tous ses tabous et de tous les esclavages, lutteur assuré de sa victoire sur la nature et de sa capacité à organiser une vie sociale harmonieuse. Un tel portrait, aujourd'hui, ne paraît pas seulement outrancier. Il est faux.

Bien des gens, en Occident, ne croient pas plus au progrès qu'en Dieu. Ils se contentent de vivre, chaque jour suivant l'autre, et si possible d'améliorer leur sort. Certains, rares, luttent pour une vie meilleure. Aux yeux de la plupart, le monde est désenchanté. La science elle-même a pris des allures de magie. Les enfants, mais aussi les adultes, s'abreuvent de séries télévisées et de films qui mettent en scène des êtres étranges, dotés de pouvoirs surnaturels, armés de rayons désintégrateurs, circulant à bord de vaisseaux féeriques, chargés d'amulettes et de talismans accommodés à la sauce électronique ou nucléaire.

S'il est un Dieu qui plaît encore, c'est, le plus souvent, celui qui accomplit des miracles, multiplie les phénomènes surnaturels, berce les rêves et se nourrit de l'insatisfaction des hommes. Ou bien le Dieu peu exigeant que l'on taille à ses mesures, qui répond à de vagues besoins de valeurs spirituelles. Le Dieu qui permet d'oublier ce monde, la peine et les échecs des jours, en s'abîmant dans la contemplation, en recherchant la sagesse qui libère de la souffrance (ce dont témoigne une certaine attirance vers le bouddhisme). Le Dieu qui assurera aux malheureux, aux vaincus, le plaisir de goûter à la revanche d'une autre vie. Le Dieu inconnaissable, inaccessible, bienveillant peut-être, mais lointain, que l'on croit prier en méditant sur soi-même, et dont il faut négocier les faveurs par des sacrifices, des prières, des offrandes. Le Dieu qu'entourent une multitude d'intermédiaires, de saints, célèbres ou non, qu'il écoute mieux que nous, pauvres pécheurs, et qui, dirait-on, sont plus sensibles à nos appels, à nos détresses, plus attentifs à nos malheurs, donc disposés à attirer sur nous l'attention de cet impassible.

Ce Dieu n'est pas, je crois l'avoir rappelé, le Dieu qu'annonça Jésus.

Jésus qui n'avait pas, on le sait, beaucoup de goût pour les miracles, se les faisait plutôt arracher. Jésus qui partageait le chemin des hommes. Jésus qui disait que pas un cheveu ne pouvait bouger sur notre tête sans que Dieu s'en soucie. Jésus qui ne se laissait pas cerner par ses compagnons mais les écartait pour découvrir le petit Zachée, petit mais riche et « vendu » aux autorités, Zachée juché sur son sycomore. Et les autres de se scandaliser : pourquoi s'intéressait-il à ce corrompu ? Jésus prenait de même le temps d'écouter la Samaritaine, une hérétique donc, et une femme de mauvaise réputation. Il n'y a pas d'exclus, de marginaux, pour la bonté de Dieu. Et il s'en soucie sans qu'on l'en prie.

Ce qui ne signifie pas que l'on ne puisse, que l'on ne doive, prier Dieu. Non comme le pharisien de l'Évangile qui dresse un bilan satisfait de ce qu'il est, de ses relations avec lui. Non comme dans un combat intérieur où l'on tente d'avoir raison de lui, de lui faire subtilement violence, de l'amener à nos vues à force de supplications. Quand vous priez, disait Jésus, « ne rabâchez pas comme les païens ; ils s'imaginent que c'est à force de paroles qu'ils se feront exaucer» (Matthieu 6, 7).

Il faut oser prier comme Jésus. Qui disait «Abba» à Dieu. «Abba»: papa. Pourquoi ne pas oser lui dire «papa», se confier à ce père qui est en même temps un allié; engagé dans une commune entreprise et laquelle! La Création tout simplement.

Ou prier comme Thérèse de l'Enfant-Jésus, cette forte dont on a fait une mièvre, et à qui l'on demandait «Que dites-vous à Jésus?» Réponse: «Je ne lui dis rien, je l'aime.»

Et puisque j'en suis à évoquer cette Thérèse à qui on a fait dire qu'elle voulait «passer (son) ciel à faire du bien sur la terre», comme si elle pouvait pallier les insuffisances de Dieu en «faisant» un «bien» dont il ne se serait pas soucié, peut-être faut-il retenir d'elle, d'abord, cette définition du rôle du saint: «Je désirerai au ciel la même chose que sur la terre: aimer Jésus et le faire aimer.»

À la veille d'écrire cette page, je me trouvais dans une vieille et belle église bretonne où s'alignent quelques statues, anciennes et naïves, de saints de toutes époques. J'eus une pensée, irrespectueuse j'en conviens, pour constater que la plupart étaient des ecclésiastiques, mitrés de préférence, parce qu'il est plus facile à chacun de faire reconnaître ses vertus, supposées ou réelles, par ses pairs: ils partagent ainsi un peu de votre auréole et ne peuvent même plus vous jalouser, puisque, morts, vous ne leur faites plus d'ombre. Mais je m'interrogeais surtout sur ceux dont le marteau et le burin avaient façonné ces corps et ces têtes, ceux qui avaient prié devant ces statues, fait brûler devant elles des centaines et des centaines de cierges dont la fumée avait noirci le bout du nez de l'un, la main de l'autre.

J'admirais leur foi, leur confiance, leur piété. J'imaginais la rudesse de leur vie, les drames, les malheurs, les besoins, les espérances, les joies aussi, la reconnaissance, qui les avaient jetés aux pieds de ces autels et de ces statues. Et je me demandais en quel Dieu ils avaient cru. En un papa ? En une sorte de Jupiter plus que puissant et impassible qu'il fallait supplier à genoux pour qu'il daigne tourner la tête vers sa chétive créature ? En une fée ? En un allié ? En un juge suprême toujours occupé à traquer la moindre de vos pensées méchantes ou perverses, et à en tenir un compte précis, dont il dresserait le bilan au jour de votre trépas ? En un serviteur, comme Jésus qui lavait les pieds de ses compagnons ?

Vaines questions. Allez savoir ! Chaque époque, sans doute, a été tentée de se façonner son Dieu. Mais le Dieu de Jésus n'est pas plus « adapté » à ce siècle qu'à d'autres.

Il restera, à jamais, surprenant.

Le Siracide, un des auteurs préférés du judaïsme, qui vivait environ deux siècles avant le temps de Jésus, constatait : « Il n'est pas possible de découvrir les merveilles du Seigneur. Quand un homme en a fini, c'est alors qu'il commence, et lorsqu'il s'arrête, sa perplexité demeure » (18, 6-7).

Puis vint Jésus qui dit à Pilate, au moment de son procès, au moment où il jouait sa vie : « Je ne suis né et je ne suis venu dans le monde que pour rendre témoignage à la vérité » (Jean 18, 37). « Je *ne* suis venu *que*... » Grâce à Jésus, nous en savons beaucoup plus sur Dieu.

Nous voudrions en savoir davantage. Nous aspirons à être plus près de lui. Ou plutôt à le posséder. Mais le pasteur allemand, Dietrich Bonhoeffer, que les nazis allaient pendre, l'écrivit depuis sa prison : « Dieu nous fait savoir qu'il nous faut vivre en tant qu'hommes qui parviennent à vivre sans Dieu (...). Devant Dieu et avec Dieu, nous vivons sans Dieu. Dieu se laisse déloger du monde et clouer sur la croix. Dieu est impuissant et faible dans le monde, et ainsi seulement il est avec nous et il nous aide. »

Notes

Chapitre premier

1. Osée a vécu au VIIe siècle avant Jésus-Christ. Le texte le plus proche de l'idée de résurrection dit: « Retournons vers le Seigneur. C'est lui qui a déchiré et c'est lui qui nous guérira, il a frappé et il pansera nos plaies. Au bout de deux jours, il nous aura rendu la vie, au troisième jour, il nous aura relevés et nous vivrons en sa présence. Efforçons-nous de connaître le Seigneur, son lever est sûr, comme l'aurore, il viendra vers nous comme vient la pluie, comme l'ondée de printemps arrose la terre » (Osée 6, 1-3). Certains chrétiens, notamment après Tertullien, premier des écrivains chrétiens de langue latine, qui vivait à la fin du IIe siècle, ont voulu voir dans ce texte une annonce de la résurrection du Christ.

2. Voir sur ces points: Karl Löning. « Résurrection et apocalyptique biblique » in *Concilium*, Beauchesne, n° 249, p. 83; Bultmann, *Le Christianisme primitif*, trad. française, Payot, p. 40; et, pour ce qui concerne l'histoire du pharaon, Eugen Drewermann, *La Barque du soleil*, trad. française, Seuil, p. 94.

3. Le Deutéronome, livre de la Bible qui est à la fois prédication et compilation de lois, s'en glorifie en ces termes: « Quelle grande nation a des dieux qui s'approchent d'elle comme le Seigneur notre Dieu le fait chaque fois que nous l'appelons ? » (4, 7). Et le même livre fait dire à Moïse: « Ne tremble pas devant eux (les peuples que tu pourrais craindre) car il est au milieu de toi, le Seigneur ton Dieu, un Dieu grand et terrible » (7, 21).

4. *Dialogue avec Tryphon* (68, 1). Traductions multiples.

Notamment : A. Hamman, *La philosophie passe au Christ*, Lettres chrétiennes, Paris, 1954.

5. Hans Küng, *Le Judaïsme*, trad. française, Seuil, p. 497.

6. Emmanuel Levinas : « Témoignage », dans *Jésus, le Christ et les siens*, ouvrage collectif sous la direction de J. Doré, Desclée, p. 184.

7. Cité par A. Hamman, *La Vie quotidienne des premiers chrétiens*, Hachette, p. 122.

8. Jean-Pierre Baud, *L'Affaire de la main volée ; une histoire juridique du corps*, Seuil, p. 57.

9. France Quéré, *Évangiles apocryphes*, coll. « Points Sagesse », Seuil.

10. Le titre de « Christ » était incompréhensible pour les Grecs ; Paul, venu de Tarse, centre actif de vie culturelle hellénistique, maîtrisant parfaitement le grec, ne pouvait l'ignorer. Il utilise donc le mot « Christ » comme une sorte de deuxième nom propre. « Seigneur » affirme la puissance divine de Jésus.

11. François Dreyfus, *Jésus savait-il qu'il était Dieu ?*, Cerf, p. 65, n. 16.

12. Cf. Marie-Joseph Lagrange, *Le Judaïsme avant Jésus-Christ*, Gabalda, p. 350. « Si saisissant qu'ait été le tableau du Serviteur, le judaïsme n'a pas songé un seul instant à attribuer la souffrance et la mort au Sauveur attendu. »

13. Voir, sur ce point, la thèse de Marc Philonenko, « Les interpolations chrétiennes des testaments des douze Patriarches et les manuscrits de Qumrān », *Cahiers de la Revue d'histoire et de philosophie religieuse de la Faculté de théologie protestante de l'Université de Strasbourg*, Paris, 1950, et aussi A. Dupont-Sommer, *Aperçus préliminaires sur les manuscrits de la mer Morte*, J. Maison. Il écrivait en 1950 : « Il est maintenant certain – et c'est l'une des plus grosses révélations des trouvailles de la mer Morte – que le judaïsme, au Ier siècle av. J.-C., a vu s'épanouir (...) toute une théologie du Messie souffrant, du Messie rédempteur du monde. » Mais cette thèse a été vivement critiquée, notamment par F.M. Braun, « Les Testaments des douze Patriarches et le problème de leur origine », *Revue biblique*, t. 69, 1960, pp. 516-549. Elle n'est plus admise aujourd'hui par la plupart des spécialistes. Un bon résumé de ces débats se trouve dans le livre de Louis Rougier, *La Genèse des dogmes chrétiens*, Albin Michel, chap. IX.

14. *Dialogue avec Tryphon, op. cit.*, 10, 2.

15. Sur le même thème, on peut lire dans Origène (théologien grec du IIIe siècle, dont certaines thèses furent finalement condamnées): «Les prophètes parlent de deux avènements du Christ: le premier, tout de souffrance humaine et d'humilité, permettant au Christ, vivant au milieu des hommes, d'enseigner la route qui mène à Dieu sans laisser à personne, durant la vie, l'excuse qu'il ignore le jugement à venir; le second uniquement glorieux et divin, sans aucun mélange d'infirmité humaine à la divinité» (*Contre Celse* 2, 5). De même, Justin, que nous avons déjà rencontré, déclare: «Les prophètes ont annoncé un double Avènement du Christ: l'un, déjà advenu, sous l'aspect d'un homme méprisé et passif; l'autre qui aura lieu, ainsi qu'il a été prédit, lorsqu'il viendra du ciel, dans la gloire, avec l'armée de ses anges» (*Première apologie*, 52). C'est ce qu'on appelle la doctrine de la Double Parousie (parousie signifiant arrivée, avènement).

16. Voir sur ce point J.G. Frazer, «Le Dieu qui meurt», in *Le Rameau d'or*, trad. française, coll. «Bouquins», Robert Laffont, 2e vol., pp. 23 à 140. Dans le 3e volume du même ouvrage, qui date du début de ce siècle, l'anthropologue anglais soulignait que les Juifs avaient ramené de leur exil babylonien la fête de Purim, rappelant de très anciennes célébrations locales assez analogues aux Saturnales italiennes. Au cours de la fête de Purim (qui existe encore des siècles *après* Jésus-Christ, généralement en mars), on se déguisait, on se livrait à des libations et on envoyait des dons aux pauvres. Et surtout, l'on reconstituait le sort de deux hommes, le vizir Aman et le Juif Mardochée à la cour d'un roi perse. Mardochée ayant offensé le vizir, celui-ci voulut le crucifier ou le pendre après lui avoir fait croire, en le décorant des attributs royaux et en le faisant circuler ainsi paré dans la ville, qu'il allait recevoir la faveur du monarque. Mais la situation fut inversée et c'est Aman, en fin de compte, qui fut supplicié. Évoquant cette tradition, Frazer est allé jusqu'à se demander si Jésus n'avait pas été mis à mort dans le rôle du vizir Aman. «La similitude qui existait entre la pendaison d'Aman et le crucifiement du Christ, écrit-il, a frappé les chrétiens eux-mêmes; chaque fois que les Juifs détruisaient une effigie d'Aman, leurs voisins chrétiens les accusaient de tourner

en ridicule le mystère le plus saint de leur nouvelle foi » (*op. cit.*, 3e vol., pp. 630-632 et 666-674). Roger Caillois a écrit, à propos de ce livre, que Frazer avait « voulu trop expliquer et a uni par des liens bien fragiles la passion du Christ à celle (...) de Mardochée ». Mais il a souligné « l'intérêt fondamental de la puissante synthèse de Frazer concernant la croyance ancienne en la transmission des maux dont souffre l'humanité à des objets inanimés, des animaux, des hommes, voire à des dieux ». Frazer évoque « l'emploi, comme bouc émissaire, du Dieu qui meurt afin de délivrer ses adorateurs des maux de toutes sortes dont la vie ici-bas est assiégée » (*op. cit.*, p. 421). Caillois ne se prononce pas clairement mais souligne que « le problème du bouc émissaire est à la base même de la pensée religieuse » (compte-rendu de l'ouvrage de Frazer par R. Caillois, *Cahiers du Sud*, novembre 1936, pp. 848-850). C'est tout le problème du sacrifice. Nous y reviendrons au chapitre VI.

17. Le père Joseph Moingt, jésuite, souligne, au terme d'une intéressante digression, qu'il faut « éviter de pétrifier la tradition dans ses définitions (mais) la conserver comme une ressource vivante de pensée », alors que « la définition fossilisée ne donne plus à penser » (*L'homme qui venait de Dieu*, Cerf, p. 179). Et le père Marie-Dominique Chenu, dominicain, interrogé par moi en 1975, notait : « Quand saint Thomas analyse la foi, il montre bien qu'elle est la certitude de la Parole de Dieu et que, en même temps – je dis bien : en même temps –, elle est une mise en appétit, mise en appétit qui peut aller jusqu'à l'inquiétude. Le mot est dans le texte. J'ai la certitude de la Parole de Dieu et j'éprouve, dans le même temps, un appétit inquiet, dans l'intime même de la foi. Si je me mets alors à chercher l'intelligence de la foi, qui est la théologie, ma liberté en sera imprégnée. *Autrement dit, elle ne sera pas la transmission passive, sous le contrôle d'un appareil, d'une série de notions. Elle sera une « création » permanente. Une telle liberté, bien sûr, a ses risques (...). Mais c'est une grande chose » (Jacques Duquesne interroge le père Chenu*, coll. des interviews, Centurion, p. 46). C'est moi évidemment qui ai souligné les dernières phrases.

Chapitre II

1. Eduard Schweizer, *La Foi en Jésus-Christ*, trad. française, Seuil, p. 52.

2. Lytta Basset, *La Joie imprenable*, préface de Philippe Nemo, Labor et Fides, pp. 311 sqq.

3. Xavier Tilliette dans la revue *Communio*, numéro de septembre-octobre 1995. Voir aussi la réponse à cet article, par l'écrivain Jean Bastaire, « Le rire de Jésus » in *La Croix*, 10 janvier 1996.

4. Cité par Michel Vovelle, *Mourir autrefois*, Gallimard, pp. 278-279.

5. *Instructions générales en forme de catéchisme*, 1747, nouvelle édition en 1823, p. 600. Cité dans *Paradis, Paradis*, de P.A. Bernheim et G. Stavrides, Plon, p. 77.

6. Jean Delumeau, *Le Péché et la Peur, la culpabilisation en Occident, XIII-XVIIIe siècle*, Fayard.

7. J'avais notamment étudié ces cantiques et d'autres dans *Dieu pour l'homme d'aujourd'hui*. Grasset, 1970.

8. J. Delumeau, *op. cit.*, p. 510.

9. Jours de jeûne et d'abstinence prescrits par l'Église catholique, autrefois, les mercredi, vendredi et samedi de la première semaine de chaque saison.

10. Cf. ci-dessus note 4.

11. Dans le *Journal d'un curé de campagne*, Bernanos fait comparer par le curé de Torcy l'épisode des Rameaux à une image d'Épinal : « Une image d'Épinal, avec le petit de l'ânesse, les rameaux verts et les gens de la campagne qui battent des mains. Une gentille parodie, un peu ironique, des magnificences impériales. Notre-Seigneur a l'air de sourire. Notre-Seigneur sourit souvent » Presses-Pocket, p. 229.

12. Jean d'Ormesson, « Dieu est-il cruel ? » in *Le Christianisme au XXe siècle*, hors série n° 13, octobre 1995, p. 44.

13. Jacques Le Goff, *Une vie pour l'histoire*, Entretiens avec Marc Heurgon, La Découverte, p. 149.

14. Frederick Tristan, *Les Premières Images chrétiennes ; du symbole à l'icône IIe-VIe siècle*, Fayard, p. 136.

15. Cf. Jean Daniélou, *Les Symboles chrétiens primitifs*, coll. « Points Sagesse », Seuil, pp. 9-48.

16. Sur tous ces points, cf. Daniélou, *op. cit.*

17. F. Tristan, *op. cit.*, p. 183.

18. Tout ce débat est résumé par Frederick Tristan, *op. cit.*, pp. 382 sqq.

19. *Ibid.*, p. 577.

20. Jean Daniélou, *Théologie du judéo-christianisme*, Desclée-Cerf, pp. 328 sqq.

21. Cf. *Revue de l'Orient chrétien*, 15 (1910), p. 209. De même dans l'Épître des Apôtres, citée par Jean Daniélou (*op. cit.*) p. 330 : « Je viendrai sept fois plus resplendissant que le soleil... porté sur les ailes des nuées dans la gloire tandis que devant moi ira ma croix. »

22. *Acta SS martyrum*, II, Rome, 1748, p. 125.

23. Venance Fortunat, Hymne à la Sainte-Croix, Missel quotidien des fidèles de J. Feder, Mame, 1956.

24. J. Daniélou, *Les Symboles chrétiens primitifs*, *op. cit.*, p. 149.

25. Paul Christophe, *L'Église dans l'histoire des hommes*, Droguet-Ardant, 2e vol., p. 27.

26. Cité par Georges Duby, *Le Temps des cathédrales*, France-Loisirs, p. 320.

27. Maître Eckhart, *Les Traités*, trad. française, coll. « Points Sagesse », Seuil, p. 145.

28. Cf. par ex. Hans Urs von Balthasar, *Dans l'engagement de Dieu*, trad. française, coll. « Ressourcement », Apostolat des Éditions, pp. 52 sqq.

29. François Varillon, *Joie de croire, joie de vivre*, Centurion, p. 79.

Chapitre III

1. John W. O'Malley. « Post-scriptum » in *La Sexualité du Christ dans l'art de la Renaissance et son refoulement moderne*, Panthéon Books, New York, traduction française, Gallimard, p. 240.

2. Cité par Bernard Sichère, *Histoires du mal*, Grasset, p. 96.

3. Henri de Lubac, *Paradoxes*, Seuil, liminaire.

4. Eugen Drewermann, *De la naissance des dieux à la naissance du Christ*, trad. française, Seuil, p. 39.

5. Cf. Hans Küng, *Le Judaïsme*, *op. cit.*, pp. 494 sqq.

6. On a souligné depuis longtemps que l'Évangile de

Jean était davantage imprégné de la pensée grecque que les trois autres. Plus récemment, des chercheurs, notamment aux États-Unis, ont noté le caractère pourtant juif de cet évangile, tout en rappelant que « plusieurs siècles avant Jésus, la culture hellénistique avait déjà percé dans la Palestine juive »... Pour le débat sur cette question, cf. Martinus de Boer, « L'Évangile de Jean et le christianisme juif nazaréen », in *Le Déchirement*, collectif sous la direction de Daniel Marguerat, Labor et Fides, pp. 179 sqq.

7. G. Theissen, *Le Christianisme de Jésus*, trad. française, Desclée, p. 152.

8. Cf. Jean Daniélou, *Théologie du judéo-christianisme, op. cit.*, pp. 264 sqq.

9. Charles Péguy, « Victor-Marie, comte Hugo », in *Œuvres en prose II*, coll. « la Pléiade », Gallimard, pp. 730 sqq.

10. Cité, parmi d'autres textes du même type, par R. Bultmann, *Le Christianisme primitif, op. cit.*, p. 94.

11. Lire, à l'inverse, la présentation de la pensée de saint Thomas par Étienne Gilson : « Le mot homme ne peut signifier proprement ni le corps humain, ni l'âme humaine, mais le composé de l'âme et du corps pris dans sa totalité. » Gilson souligne néanmoins que l'âme, qui existe en raison de la volonté de Dieu, « se donne ce corps, sans lequel elle ne peut exister, mais qu'elle fait exister. Il faut que l'âme humaine ait un corps pour que puisse s'accomplir cette opération définie qu'est la connaissance humaine (...). Lorsque le corps meurt, c'est que l'âme cesse de le faire exister ; pourquoi cesserait-elle de ce fait d'exister ? Ce n'est pas son corps qui lui donne l'être ; c'est elle qui le lui donne ; elle ne reçoit le sien que de Dieu (...) s'il importe de marquer fortement l'étroite dépendance où l'âme humaine se trouve à l'égard de la matière, il importe également de ne pas l'engager si profondément qu'elle en perde sa véritable nature » Étienne Gilson, *Le Thomisme*, Librairie philosophique J. Vrin, pp. 258 sqq.

12. Cf. Édouard Cothenet, *Petite Vie de saint Paul*, Desclée de Brouwer, pp. 89 sqq.

13. Cornelius Castoriadis va jusqu'à écrire : « Le premier christianisme (celui des évangiles et des épîtres de Paul) est dans la filiation directe du stoïcisme » C. Castoriadis, *La Montée de l'insignifiance*, Seuil, p. 217.

14. L'ensemble de ses œuvres est traduit dans *La philo-*

sophie passe au Christ, coll. « Ichtus/Les pères dans la foi », Desclée de Brouwer.

15. Cf. Jean Daniélou, « Message évangélique et culture hellénistique », *op. cit.*, pp. 77 sqq.

16. Guy Bechtel dans *La Chair, le Diable et le Confesseur*, Plon, cite à propos de Marcion et des siens, « un prétendu Évangile de saint Thomas, bientôt rejeté » (par l'Église) selon lequel Jésus aurait dit : « Béni est le ventre qui n'a jamais conçu et les seins qui n'ont jamais allaité. »

17. Cité par Jaroslav Pelikan dans *L'Émergence de la tradition catholique*, Presses Universitaires de France, t. 1, p. 87.

18. Cf. Mircea Eliade et Ioan P. Couliano, *Dictionnaire des religions*, Presses-Pocket, p. 109.

19. Eusèbe de Césarée, *Vie de Constantin*, 3, 21.

20. Les « Barbares » qui envahissent l'Empire romain d'Occident sont séduits par l'arianisme, à l'exception des Francs. C'est ce qui poussera l'Église, quand les Wisigoths et les Vandales envahissent la Gaule romaine, à rechercher l'alliance des Francs en la personne de Clovis, un vrai païen celui-là, qui s'intéresse seulement, peut-être, aux dieux de la forêt germanique. J'ai évoqué cet épisode dans *Saint Éloi*, Fayard, pp. 16 sqq.

21. Code Théodosien 16, 1. 2.

22. Chrysostome, « De la virginité », 11.

23. Jérôme, *Lettre 127*, Les Belles Lettres.

24. Joseph Moingt, *L'Homme qui venait de Dieu, op. cit.*, p. 202. Sur l'histoire du dogme de l'Incarnation, le chapitre II de ce livre donne et commente les informations essentielles. Voir aussi Bernard Sesboué, *Jésus-Christ dans la tradition de l'Église*, Desclée, pp. 99 sqq. et A. Grillmeier, *Le Christ dans la tradition chrétienne. De l'âge apostolique à Chalcédoine*, New York, 1965, trad. française, Cerf. Voir aussi, pour une présentation très claire et vivante des querelles de cette époque, un chapitre du roman de Jean d'Ormesson, *Casimir mène la grande vie*, Gallimard, pp. 38 sqq.

25. C'est ce que constate par exemple Roger Lachenschmid dans sa contribution au *Bilan de la théologie du XXe siècle*, collectif sous la direction de R. Vandergucht et H. Vorgrimber, Casterman, 2e vol., p. 333.

26. Homélie de la Noël 412, citée par F. Tristan, *Les Premières Images chrétiennes, op. cit.*, p. 369.

27. Christopher Dawson, *Le Moyen Âge et les origines de l'Europe*, trad. française, Arthaud, p. 212.

28. Cf. René d'Ouince, *Un prophète en procès : Teilhard de Chardin et l'avenir de la pensée chrétienne*, Aubier, 2e vol., pp. 39 sqq.

29. Cf., entre autres, Jean Delumeau, *Le Péché et la Peur*, *op. cit.* ; Jacques Le Goff, *La Naissance du purgatoire*, Gallimard, pp. 311 sqq. ; Paul Christophe, *L'Église dans l'histoire des hommes*, Droguet-Ardant, notamment pp. 173 sqq. ; *Histoire du christianisme*, collectif sous la direction de J.M. Mayeur, Ch. Pietri, A. Vauchez et M. Venard, Desclée ; *Histoire des dogmes*, sous la direction de B. Sesboué, Desclée.

30. *Règle pastorale* III, 27.

31. *Somme théologique* II a II ae, 9. 168 a. 2.

32. Discours aux sages-femmes, 29 octobre 1951.

33. Cf. *La Croix*, numéro du 25 septembre 1996.

34. Constitution *Gaudium et Spes*, 49, 52.

35. *Catéchisme de l'Église catholique*, éd. française Mame-Plon, p. 481.

36. André Malraux, *Le Surnaturel*, Gallimard, pp. 211 sqq. Voir aussi Bernard Sichère, *Histoires du mal*, *op. cit.*, pp. 162 sqq.

37. Jacques Le Goff, *op. cit.*, p. 312.

38. Georges Duby, *Le Temps des cathédrales*, *op. cit.*, p. 175. Tout cet ouvrage exprime bien cette évolution capitale.

39. Cf. Leo Steinberg, *La Sexualité du Christ dans l'art de la Renaissance et son refoulement moderne*, coll. « l'Infini », Gallimard.

40. *Somme théologique* III q. 70, art. 3, resp. 1. Thomas expose sept raisons pour lesquelles le Christ devait être circoncis, et dans la septième il en fait un acte rédempteur : « Septièmement, libérer les autres du fardeau de la loi dont il prenait la charge. »

41. Cf. Paul Christophe, *op. cit.*, t. II, p. 380.

Chapitre IV

1. Jürgen Moltmann, *Le Dieu crucifié*, trad. française, 1974, Cerf-Mame, p. 213.

2. « Il ne peut que » ne signifie pas qu'il y soit contraint

par une sorte de nécessité naturelle, ou encore moins par une force extérieure. C'est de sa propre volonté qu'il n'est qu'amour, s'oblige à aimer, donc à créer. Cf. Étienne Gilson, *Le Thomisme, op. cit.*, pp. 180 sqq.

3. Jacques Pohier: *Quand je dis Dieu*, Seuil, p. 97.

4. Élie Wiesel, *Célébrations bibliques, portraits et légendes*, Seuil, p. 35.

5. Irénée, *Contre les hérésies*, livre IV, chap. XX, nº 7.

6. Cité dans la revue *Imagine*, nº 2, mai 1996, p. 33.

7. *Op. cit.*, livre V, 6, 1. Irénée précise aussi: « Si quelqu'un supprime la réalité de la chair, c'est-à-dire du plasma et considère l'Esprit isolément, ce qui est tel n'est plus désormais un homme spirituel, mais l'esprit de l'homme ou l'esprit de Dieu. »

8. Cf. François Varillon, *Joie de croire, joie de vivre, op. cit.*, pp. 178 sqq.

9. Cité par Maurice Zundel, *Un autre regard sur l'homme*, Le Sarment-Fayard, p. 67.

10. Le père Jean-Marie Van Cangh, exégète, dit: « Si nous pensons que Jésus est Dieu par nature, nous hypostasions bien sûr un homme mais, d'autre part, nous introduisons l'anthropologie en Dieu, nous remettons en Dieu toutes les valeurs humaines que Jésus a vécues. En Jésus-Christ, Dieu lui-même devient révélation plénière, nous saisissons en lui quelque chose de Dieu ». Article « Historicité et vérité dans la Bible », in *Le Supplément*, nº 188-189, janvier-juin 1994, p. 332.

11. Xavier Léon-Dufour, *Dieu se laisse chercher*, dialogue avec Jean-Maurice de Montremy, Plon, p. 139.

12. Sur la « temporalité en Dieu », on peut lire une très intéressante analyse (difficile d'accès toutefois) du père Joseph Moingt, *L'Homme qui venait de Dieu, op. cit.*, pp. 686-688, qui lie temporalité à Trinité.

13. *Jacques Duquesne interroge le père Chenu, op. cit.*, p. 72.

14. Préface du *Jésus tel que je le connais*, de Sœur Emmanuelle, Desclée de Brouwer-Flammarion, p. 9.

15. Hans Jonas, *Le Concept de Dieu après Auschwitz*, trad. française, Rivages Poche 1994. Les thèses de Jonas ont été débattues, notamment dans la revue *Études*, numéro de janvier 1996, par le père dominicain Jean-Pierre Jossua, dont le père est mort à Auschwitz, précisément.

16. Prado Éditions, 1965.

17. Dans son livre *L'Humilité de Dieu*, Centurion, le plus solide à mes yeux sur ce sujet, François Varillon écrit : « Aimer avec orgueil n'est pas vraiment aimer. Si Dieu est amour, il est humble » (p. 59). Et aussi (même page) : « L'humiliation du Christ n'est pas un avatar exceptionnel de la gloire. Elle manifeste dans le temps que l'humilité est au cœur de la gloire. »

18. Paul Claudel, *Commentaires et exégèses, Œuvres complètes*, Gallimard, 1974, t. XXVII, p. 18.

19. « Le Dieu Rédempteur : questions choisies » (titre latin : *Questiones selectae de Deo Redemptore*, texte original en anglais), in *Documentation catholique*, n° 2143, 4 août 1996.

20. *Contre les hérésies, op. cit.*, 3, 16, 6.

21. *Ibid.*, 4, 38, 3.

22. P. Teilhard de Chardin, « Terre promise » (1919) *in* t. 12 (« Écrits du temps de la guerre ») des *Œuvres complètes* publiées dans les années 70 par les Éditions du Seuil, p. 395.

23. P. Teilhard de Chardin, « La lutte contre la multitude », dans le même volume, p. 125.

24. François Mauriac, *Mémoires intérieurs, nouveaux mémoires intérieurs*, Flammarion, 1985, p. 446.

25. *Op. cit.*, 3, 18, 1.

26. Cf. sur ce point Joseph Moingt, *op. cit.*, pp. 110 sqq.

27. *Sur l'Évangile de saint Jean*, 110, 5-6.

28. *Tristes Tropiques*, Plon, et Pocket.

CHAPITRE V

1. In *Revue thomiste*, 1969, n° 1.

2. Cité par Jean Delumeau, *Le Péché et la Peur, op. cit.*, p. 453. Ce livre est fondamental sur la conception que le monde chrétien a eue des rapports de l'homme avec Dieu et la représentation qu'il s'est faite de Dieu. J. Delumeau se limite, si l'on peut dire, à la période qui court du XIIIe au XVIIIe siècle. Mais celle-ci n'a pas constitué une parenthèse. Dans son introduction, l'auteur cite d'ailleurs un texte de notre siècle, un dialogue imaginaire entre Goethe et Pierre de Boisdeffre (Pierre de Boisdeffe, *Goethe m'a dit. Dix*

entretiens imaginaires, Luneau-Ascot, p. 230), où Goethe s'étonne : « La Rédemption aurait dû libérer l'homme de l'angoisse, mais l'Église continue à imposer un examen de conscience que l'approche de la mort rend insupportable (...) Dieu ne serait là que pour condamner et pour punir ! Quelle affreuse interprétation du rôle du Père ! »

3. Jacques Guillet, *Jésus dans la foi des premiers disciples*, Desclée de Brouwer, p. 121.

4. Je me permets de renvoyer sur ce point à mon livre *Jésus*, Desclée de Brouwer-Flammarion, pp. 200 sqq.

5. Heinz Zahrnt, *Jésus de Nazareth, une vie*, trad. française, 1996, Seuil, p. 148.

6. Cf. Jean Ducluzeau, *L'Initiateur, une lecture initiatique de l'Évangile de Jean*, Rocher, p. 76.

7. Cf. sur ce point, Lytta Basset, *La Joie imprenable, op. cit.*, chap. II, pp. 47 sqq.

8. Joachim Jeremias, *Les Paraboles de Jésus*, coll. « Livre de vie », Seuil, p. 188.

9. *Ibid.*, p. 77.

10. Ainsi Pierre de Beaumont, *Les Quatre Évangiles*, Fayard-Mame, p. 254.

11. Ainsi *La Bible du Peuple de Dieu*, 4e vol., Centurion-Cerf, p. 276, qui se réfère à la Genèse (29, 31-32), au Deutéronome (21, 15-16) et à Isaïe (60, 15).

12. Luc Ferry, *L'Homme-Dieu ou le Sens de la vie*, Grasset, pp. 150-151.

13. André Comte-Sponville, *Petit traité des grandes vertus*, Presses Universitaires de France, pp. 364-365.

14. Simone Weil, *La Connaissance surnaturelle*, Gallimard, p. 267.

15. Cité par François Varillon, *La Souffrance de Dieu, op. cit.*, p. 31.

16. F. Varillon, *Joie de croire, joie de vivre, op. cit.*, p. 25.

17. Henri Guillemin, *Malheureuse Église*, Seuil, p. 121.

18. Yves Congar, *Je crois en l'Esprit Saint*, Cerf, t. I, p. 112.

19. Cf. Dany-Robert Dufour, *Les Mystères de la trinité*, Gallimard, p. 183. Ce n'est pas par erreur typographique que trinité est écrit dans ce titre avec un *t* minuscule : dans ce livre important, l'auteur n'évoque pas seulement le dogme chrétien, il analyse la signification et les conséquences de la forme « trois en un » repérable en bien d'autres domaines,

et montre que la lutte entre trinité et binarité jalonne l'histoire de la pensée occidentale depuis deux mille ans.

20. « De la Trinité », I, 2, 19.

21. Jean Guitton, *Jésus*, Grasset, p. 313.

22. Cf. sur ce sujet : François Varillon, *L'Humilité de Dieu*, *op. cit.*, pp. 103 sqq. ; Richard D. Mc Brien : *Être catholique*, Centurion-Novalis, t. 1, pp. 364 sqq. ; Joseph Moingt, *L'Homme qui venait de Dieu*, *op. cit.*, chap. II.

23. Jean Carmignac, *Recherches sur le Notre Père*, Letouzey.

24. Le Deutéronome dit : « Le Seigneur Dieu vous met à l'épreuve pour savoir si vous l'aimez » (13, 3).

25. « Le Notre Père, point de vue exégétique » par François Refoulé, in *Unité des chrétiens*, n° 33, juillet 1980.

Chapitre VI

1. Cf. Olivier Herrenschmidt, « Sacrifice symbolique ou sacrifice efficace », in *La Fonction symbolique*, essais d'anthropologie réunis par Michel Izard et Pierre Smith, Gallimard, pp. 171 sqq.

2. Salomon Reinach, *Cultes, Mythes et Religions*, coll. « Bouquins », Laffont, pp. 343 sqq.

3. Cf. Luc de Heusch, *Le Sacrifice dans les religions africaines*, Gallimard.

4. Thomas Römer, *Dieu obscur*, Labor et Fides, pp. 57 sqq.

5. *Op. cit.*, (40, 2), p. 722.

6. In *Le Péché et la Peur*, *op. cit.*, p. 283.

7. Cf. Xavier Léon-Dufour, *Lecture de l'Évangile selon Jean*, Seuil, t. 1, pp. 292-293 et 322.

8. Pour une étude détaillée de ce point, voir René Jacob, « La véritable solidarité humaine selon Romains 5, 12-21 » in *La Culpabilité fondamentale*, coll. sous la direction de Paul Guillery, Duculot, pp. 26 sqq. L'auteur conclut par cette hypothèse : « Est-il invraisemblable qu'un changement fondamental, atteignant le cœur même de l'homme (son ordination à Dieu) se répercute immédiatement sur l'ensemble des hommes à la manière d'une réaction en chaîne ? » Plus nettement, le théologien hollandais P. Schoenenberg, dans son livre *L'Homme et le Péché*, Mame, 1967, notait que, dès sa naissance, l'être humain vivait dans un milieu pécheur et voyait dans le péché d'Adam le premier d'une série.

9. Cf. en ce qui concerne les théologiens grecs de l'époque, J. Kelly, *Initiation à la doctrine des Pères de l'Église*, Cerf, p. 361 ; aussi, H. Rondet : *Le Péché originel dans la tradition patristique et théologique*, Fayard. Il écrit notamment (p. 47) : « Le récit de la chute n'est pas obsédant (pour les auteurs de l'époque). Le dogme de la Rédemption n'est pas fondé en premier lieu sur le péché d'Adam comme sur une catastrophe primordiale. »

10. Cf. Jacques Zeiller, *L'Empire romain et l'Église*, de Boccard, Paris, 1928.

11. « Enchiridion », 26, 27, *in* « Exposés généraux de la foi », Desclée de Brouwer.

12. *De civitate Dei*, XII, 22.

13. *Opus imperfectum*, I, 22. Augustin, cependant, paraît plus hésitant dans une lettre à saint Jérôme, sur la propagation de l'idéal monastique (« Lettres », 131, *in* Jérôme, *Lettres*, t. VIII, Les Belles Lettres).

14. Cité par J. Delumeau, *op. cit.*, p. 294.

15. *Documentation catholique*, 21 juillet 1968, col. 1254.

16. Joseph Ratzinger, *Entretien sur la foi* avec Vittorio Messori, trad. française, Fayard, p. 92.

17. On trouve cette citation, et d'autres du même cru, dans le livre de P. Pierrard, *1848... les Pauvres, l'Évangile et la Révolution*, Desclée, pp. 208 et 209.

18. *Lettres*, 243, 10.

19. Paul Christophe, *L'Église dans l'histoire des hommes*, *op. cit.*, p. 441.

20. Cité par Jean Delumeau, *op. cit.*, p. 485.

21. *Documentation catholique*, 4 août 1996, p. 706.

22. Cité par Éric Baratoz, *L'Église et l'Animal*, Cerf, p. 226.

23. *Les Frères Karamazov*, Pocket, p. 342.

24. *Sermons*, 294, 3.

25. *Élévations sur les mystères*, 7e semaine, 3e élévation.

26. *L'Art d'être grand-père*, Poésie III, coll. « Bouquins », Robert Laffont, p. 777.

27. Cf. Jacques Le Goff, *La Naissance du Purgatoire*, *op. cit.*, p. 200.

28. Jean Delumeau, *op. cit.*, p. 307.

29. Cf. Pierre Antoine Bernheim et Guy Stavrides, *Paradis, Paradis*, *op. cit.*, pp. 133 sqq.

30. Cf. René Tery, « La responsabilité collective », *in* Paul Guillery, *La Culpabilité fondamentale*, *op. cit.*, pp. 130 sqq.

31. *Documentation catholique*, 10 septembre 1950, col. 1166.

32. *Entretien sur la foi*, *op. cit.*, p. 92.

33. *Documentation catholique*, 17 novembre 1996, p. 952.

34. Jean Macarez, *Croire autrement*, Imprimerie Porcher, Saint-Malo, 1991.

35. François Varillon, *Joie de croire, joie de vivre, op. cit.*, p. 165.

36. Cardinal Billot, *Études*, 20 janvier 1920.

Chapitre VII

1. Joseph Ratzinger, « Foi chrétienne hier et aujourd'hui », *op. cit.*, Nouvelles éditions Mame, p. 127.

2. Cf. Marcus Borg, *Un nouveau regard sur Jésus*, La Pierre d'Angle, p. 234 et Richard P. Mc Brien, *Être catholique*, *op. cit.*, t. 1, p. 442.

3. Louis Rougier (*op. cit.*, pp. 293 sqq.) a dressé une longue liste des emprunts faits par les évangélistes, les auteurs d'épîtres, ou les Actes des Apôtres aux textes d'Isaïe. Voir aussi, sur les possibles « remaniements » par les chrétiens de ces textes et sur leurs obscurités, Joseph Moingt, *op. cit.*, p. 417.

4. Gerd Theissen, *Le Christianisme de Jésus*, *op. cit.*, p. 142.

5. Hans Küng, *Être chrétien*, trad. française, coll. « Points », Seuil, p. 462.

6. *Sermons*, 30, 2.

7. Albert le Grand, « Commentaire des sentences », 3, XX, 3.

8. Bossuet, *Œuvres*, Rennes, 1962, t. 2, p. 448.

9. René Girard, *La Route antique des hommes pervers*, Livre de Poche, p. 180.

10. Joseph Moingt, *L'Homme qui venait de Dieu*, *op. cit.*, p. 449.

11. Cf. Eduard Schweizer, *La Foi en Jésus-Christ*, *op. cit.*, p. 119, n. 5.

12. On peut se demander si Jésus, « vrai homme » avec toutes les limitations des hommes, a estimé dès les premiers temps de sa « vie publique » que la mort viendrait vite. Le père Jean-Marie Van Cangh, exégète, a ainsi pré-

cisé lors d'un colloque: « L'exégèse conduit à reconnaître deux périodes dans la prédication de Jésus, une première où il envisageait la conversion de tout Israël, (...) une seconde où, devant le refus des notables, il prend conscience de la nécessité imposée de sa Passion et de sa mort » (J.-M. Van Cangh, « Historicité et vérité dans la Bible », *op. cit.*)

13. Marc 8, 31; 9, 31; 10, 33-34. Matthieu 16, 21. Luc 9, 22; 9, 44; 19, 32.

14. Cf. sur ce sujet Jacques Guillet, *Jésus dans la foi des premiers disciples, op. cit.*, p. 152.

15. Cf. Xavier Léon-Dufour, *Dieu se laisse chercher*, Plon, pp. 138 et 139 et Laurent Guyenot, *Le Roi sans Prophète*, La Pierre d'Angle, p. 75.

16. Joseph Ratzinger, *Entretien sur la foi, op. cit.*

17. Cf. Léo Steinberg, *op. cit.*, p. 153.

18. Cf. Jean Delumeau, *op. cit.*, pp. 33, 347-349, 498 sqq.

19. Cf. Louis Châtellier, *La Religion des pauvres*, Aubier, chap. VI.

20. *Op. cit.*, p. 495.

CHAPITRE VIII

1. Dante Alighieri, *La Divine Comédie*, nombreuses traductions françaises, notamment Gallimard, Cerf, Flammarion parmi les plus récentes.

2. Cf. Jean Varenne, « Le jugement des morts dans l'Inde » in *Le Jugement des morts*, coll. « Sources orientales » IV, Seuil, pp. 215-226.

3. Cf., sur tous ces points, Jacques Le Goff, *La Naissance du purgatoire, op. cit.*, pp. 31-48.

4. Savonarole, *Dernières méditations*, coll. « les Carnets », Desclée de Brouwer, n. 67.

5. David Flusser, *Jésus*, Seuil, pp. 76 et 81.

6. Giuseppe Barbaglio, *Dieu est-il violent?*, trad. française, Seuil, p. 228.

7. Voir sur ce sujet, André Caquot et Marc Philonenko, « Introduction générale » in *La Bible: Écrits intertestamentaires*, coll. « la Pléiade », Gallimard, pp. XV-CXLVI.

8. Cf. Daniel Marguerat, *Le Dieu des premiers chrétiens*, Labor et Fides, pp. 56 sqq.

9. Cf. *Fêtes et saisons*, n° 465, mai 1992, p. 14.

10. Cf. Laurent Guyenot, *Le Roi sans Prophète, op. cit.*, pp. 91-92.

11. Cf. Urs von Balthasar, *Espérer pour tous*, trad. française Desclée de Brouwer, p. 33. Ce livre est une longue étude, en même temps qu'une ample méditation, qui souligne, comme son titre l'indique, qu'il est permis d'espérer pour tout homme.

12. Dans le livre cité ci-dessus, Hans Urs von Balthasar en dresse une liste impressionnante (pp. 28 sqq.).

13. Une exception : l'épître aux Philippiens où Paul écrit : « Afin qu'au nom de Jésus tout genou fléchisse dans les cieux, sur la terre et dans les enfers » (2, 10), où l'on voit bien qu'il s'agit de désigner l'univers entier. La traduction œcuménique de la Bible remplace d'ailleurs l'expression « dans les enfers » par « sous la terre ».

14. Cf. Georges Minois, *Histoire des enfers*, Fayard, p. 110.

15. René Gounelle, « Pourquoi, selon l'Évangile de Nicodème, le Christ est-il descendu aux enfers ? » in *Le Mystère apocryphe*, Labor et Fides, pp. 78, 79.

16. Apologetii, 48.

17. Ainsi, François de Sales prévoyait que « les bienheureux approuveront avec allégresse le jugement de la damnation des réprouvés » (in *Traité de l'amour de Dieu*, chap. 8).

18. Tout ce raisonnement est longuement développé dans le livre 21 de *La Cité de Dieu*.

19. Cf. Jacques Le Goff, *op. cit.*, pp. 99-118.

20. Cité par Raymond de Capoue, un dominicain que son ordre avait placé auprès de la sainte et qui devint son biographe, in *Vie de sainte Catherine de Sienne*, Lethielleux, p. 481.

21. Cité par Paul Christophe, *L'Église dans l'histoire des hommes, op. cit.*, t. 2, p. 86.

22. Cité par Georges Minois, *op. cit.*, p. 344.

23. *Ibid.*, p. 341.

24. Cité par *L'Encyclopédie du catholicisme*, Letouzey, t. 5, col. 948.

25. *Lumen Gentium*, chap. VIII, 48.

26. Jean-Paul II, *Entrez dans l'espérance*, Plon-Mame, p. 272.

Table

Du même auteur

Essais et documents

LES CATHOLIQUES FRANÇAIS SOUS L'OCCUPATION, 1966, nouv. éd., Grasset, 1986.
DEMAIN, UNE ÉGLISE SANS PRÊTRES ? Grasset, 1968.
DIEU POUR L'HOMME D'AUJOURD'HUI, Grasset, 1970.
LA GAUCHE DU CHRIST, Grasset, 1972.
LES TREIZE-SEIZE ANS, Grasset, 1973.
JACQUES DUQUESNE INTERROGE LE PÈRE CHENU : UN THÉOLOGIEN EN LIBERTÉ, avec la collaboration de Marie-Dominique Chenu, Centurion, 1975.
LES VENTS DU NORD M'ONT DIT. CHRONIQUES, SOUVENIRS ET RÊVES, Albin Michel, 1989.
JÉSUS, Desclée de Brouwer/Flammarion, 1994.

Biographies

SAINT ÉLOI, Fayard, 1985.
JEAN BART, Seuil, 1992.

Romans

LA GRANDE TRICHE, Grasset, 1977.
UNE VOIX, LA NUIT, Grasset, 1979.
LA RUMEUR DE LA VILLE, Grasset, 1981.
MARIA VANDAMME, Grasset, 1983. Prix Interallié.
ALICE VAN MEULEN, Grasset, 1985.
AU DÉBUT D'UN BEL ÉTÉ, Grasset, 1988.
CATHERINE COURAGE : La fille de Maria Vandamme, Grasset, 1991.
LAURA C., Grasset, 1994.
THÉO ET MARIE, Robert Laffont, 1996.

Composition réalisée par INTERLIGNE

IMPRIMÉ EN FRANCE PAR BRODARD ET TAUPIN
Usine de La Flèche (Sarthe).
LIBRAIRIE GÉNÉRALE FRANÇAISE - 43, quai de Grenelle - 75015 Paris.

ISBN : 2-253-14607-2 31/4607/3